CYNNWYS

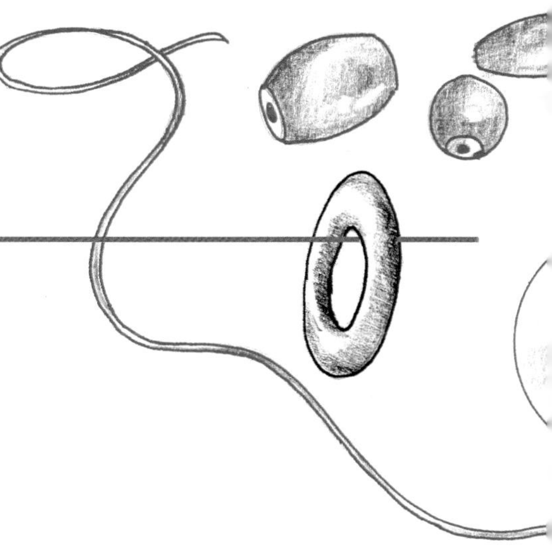

4 LLAWLYFR 100 O WEITHGAREDDAU

5 I GLOI

I'm rhieni

Mewn sawl ffordd, datgeliad dwysaf siwrnai Alzheimer
yw ei bod yn fath o lwybr o'r meddwl i mewn i'r galon.
Frena Gray Davidson

Glaw Siocled

100 o syniadau creadigol ar gyfer gweithgareddau mewn gofal dementia

Ysgrifennwyd, dyluniwyd a darluniwyd gan
Sarah Zoutewelle-Morris

GRAFFEG

Cyhoeddwyd gyntaf yng Nghymru 2019
gan Graffeg
adran o
Graffeg Limited
24 Canolfan Busnes Parc y Strade
Llanelli SA14 8YP
www.graffeg.com

Argraffwyd gyntaf ym Mhrydain yn 2011. Ailargraffwyd yn 2015, 2016 a 2017 gan
Hawker Publications Ltd
Culvert House, Culvert Road
Llundain SW11 5DH
Ffôn: 02077202108
www.careinfo.org

Addasiad Beca Jones

Darluniwyd a dyluniwyd gan Sarah Zoutewelle-Morris
Cysodwyd y llyfr hwn yn Candara, ffurfdeip a ddyluniwyd gan Gary Munch

Argraffwyd a rhwymwyd yng Nghymru gan Graffeg
ISBN 9781912654901

Nid yw'r awdur na'r cyhoeddwyr yn gallu bod yn gyfrifol am anafiadau posibl o ganlyniad i asesu diffygiol neu ddiffyg goruchwylio wrth wneud yr ymarferion yn y llyfr hwn sy'n defnyddio offer miniog neu bethau y gellid eu llyncu.

RHAGAIR

Daeth yr awr i gelfyddydau a gofal dementia – dyna fy marn i. Mae nifer o arwyddion i'w gweld, ac mae'r llyfr hwn yn un ohonyn nhw.

Beth yw ei rinweddau? I ddechrau, mae'n hawdd ei ddefnyddio. Mae'n hwylus i'w gario yma ac acw. Mae'n llawn darluniau ac wedi'i ysgrifennu mewn dull sy'n gwneud i chi ymddiried yn yr awdur. Mae'n hawdd ei ddeall: yr unig rwystr yw ei fod yn gofyn i chi roi cynnig ar bethau! Felly, defnyddiwch y llyfr – peidiwch â'i adael ar y silff!

Mae'n eithaf sylfaenol. Dydi hwn ddim yn llyfr sy'n llawn damcaniaethau uchel-ael a chyffredinoli; mae'n dweud: "Fe allwch chi wneud hyn!"

Mae'n rhoi sylw arbennig i anghenion pobl yng nghyfnodau hwyr dementia, yn arbennig y rheini sydd prin yn siarad ac mae'n anodd cysylltu â nhw. Mae diffiniad y llyfr o gelfyddyd yn gynhwysol, ac yn cynnwys pob math o weithgareddau y byddai eraill yn eu hystyried yn ddiwerth a heb fod yn greadigol. Dyma grŵp o bobl y byddai llawer yn eu hanwybyddu oherwydd nad ydyn nhw'n gwybod beth i'w gynnig iddyn nhw. O'i phrofiad helaeth mae Sarah Zoutewelle-Morris yn gwybod beth sy'n gallu gweithio iddyn nhw.

Yn y gerdd 'The Bad Home', dywedodd un fenyw wrthyf:

> Nothing to do, nothing to say.
> It's all blackness in front of me.
> Another thing, they just sit there
> And turn their thoughts inward.
> That's why we'll never get better.

Dyma gri am weithgarwch ystyrlon. Gyda'r llyfr hwn does dim esgus bellach dros oddef y sefyllfa anfoddhaol hon.

John Killick

Cyflwyniad

Mae grŵp bach o breswylwyr yn eistedd mewn lolfa cartref gofal, gan syllu o'u blaenau. Mae'r ystafell yn un sefydliadol: hirsgwar mawr wedi'i beintio'n llwydfelyn, a'r waliau wedi'u haddurno â gwaith celf tebyg i waith ysgol feithrin. Mae ychydig o hen bobl yn crwydro o gwmpas yr ystafell yn ddiamcan. Mae pawb wedi'u cloi yn yr ystafell. Mae'r aer yn glòs ac yn gynnes; efallai fod teledu ymlaen neu radio'n chwarae.

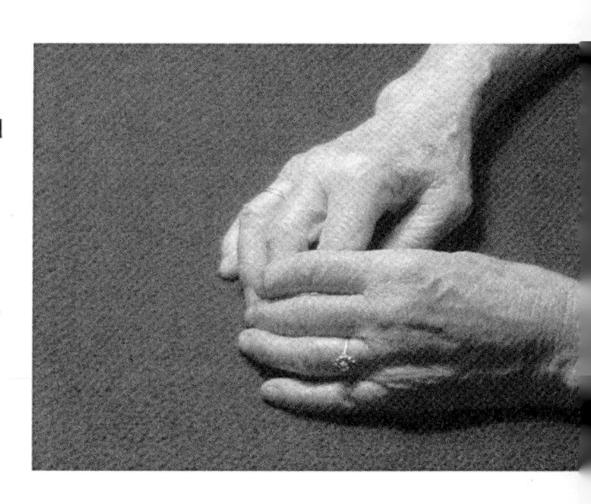

Mae gweithwyr yn dod i mewn bob hyn a hyn i gynnig te neu goffi; weithiau mae perthynas yn sgwrsio'n dawel ag un neu ddau. Efallai fod gweithgaredd grŵp wedi'i drefnu ar gyfer y diwrnod hwnnw.

Fodd bynnag, yn gyffredinol ac ar raddfa eang, ar ôl iddyn nhw gael eu gwisgo a'u bwydo, mae preswylwyr yng nghyfnodau amrywiol dementia yn cael eu gadael am gyfnodau hir mewn amgylcheddau amhersonol. Does ganddyn nhw ddim byd i'w wneud na neb i siarad ag ef heblaw ei gilydd.

Mae newidiadau i'r drefn ar y gweill, ond cyn eu gweithredu ar raddfa eang, bydd yr amodau presennol yn parhau. Mae'r llyfr yma'n awgrymu'r hyn y gallwn ni ei wneud yn y cyfamser i roi'r sylw gorau posibl i anghenion cymdeithasol, emosiynol ac ysbrydol pawb.

Fel artist yn gwneud gwaith prosiect mewn cartrefi nyrsio ac ysbytai drwy'r Iseldiroedd, fe welais i lawer o hen bobl â dementia mewn sefyllfaoedd tebyg, ac fe gafodd eu cyflwr effaith sylweddol arna i. Roeddwn i'n argyhoeddedig, petai pawb sy'n ymwneud â nhw yn fwy creadigol, y byddai'r bobl hyn yn gallu byw bywydau ystyrlon – gartref yn ogystal ag mewn sefydliadau.

Heriau

Pan ddechreuais i weithio gyda phobl â dementia, yma, mewn ardal amaethyddol yng ngogledd yr Iseldiroedd, roeddwn i'n argyhoeddedig y byddai'n hawdd trosglwyddo fy mhrofiad blaenorol o ddefnyddio celfyddyd gyda mathau amrywiol o gleifion (yn cynnwys rhai geriatrig seiciatrig). Fodd bynnag, doedd y bobl a oedd yn gweithio yn y sefydliad newydd ddim yn gyfarwydd â'r celfyddydau nac yn deall fy Iseldireg ag acen Americanaidd. Cafodd fy ngweithgareddau a baratowyd yn ofalus eu tanseilio'n aml yn y munudau cyntaf, wrth i mi dynnu deunyddiau celf allan a gafodd eu gwrthod yn ddirmygus gan y preswylwyr oherwydd eu bod yn rhy 'blentynnaidd' i oedolion.

Ar ôl i'r preswylwyr wrthod fy nwy ffordd fwyaf cyfarwydd o gyfathrebu – siarad a defnyddio celfyddyd, cefais fy ngorfodi i ddod o hyd i ffyrdd eraill o gyfathrebu. Yn y diwedd, nid clyfrwch y prosiect, y canlyniadau, na'r deunyddiau a arweiniodd at gysylltiadau ystyrlon a gweithgareddau llwyddiannus, ond i ba raddau roeddwn i'n gallu bod yn llwyr bresennol ac yn ymateb i bawb ar unrhyw ddiwrnod penodol. Roedd bod yn artist wedi fy helpu i feddwl am syniadau, gan ymddiried yn y syniadau hynny i ddatblygu o fewn proses, a dilyn y broses honno i ble bynnag y byddai'n mynd.

Fe fues i'n gweithio bob wythnos gyda phobl â'r cyflwr hwn am nifer o flynyddoedd, gan roi cynnig ar ddwsinau o syniadau. Roeddwn i'n dysgu'n barhaus gan yr unigolion eu hunain am ffyrdd ystyrlon a phleserus o dreulio amser gyda'n gilydd.

Fy mwriad wrth ysgrifennu'r llyfr hwn yw eich annog chi, y darllenydd, i ddatblygu eich dull creadigol personol chi eich hun o gyfathrebu, a dylunio gweithgareddau i bobl â dementia.

'Ymwadiad' creadigrwydd 

Fe ddylwn i eich rhybuddio y gallai gwneud rhai o'r gweithgareddau hyn achosi newidiadau cadarnhaol annisgwyl, nid yn unig ym mywyd yr un sydd â dementia, ond yn eich bywyd chi hefyd. Efallai y byddwch yn dod i ddeall pethau sy'n newid yn sylfaenol y safbwyntiau sydd gennych chi ers talwm, neu'n dod ar draws ffurf hollol newydd o'ch mynegi'ch hun a allai ryddhau adwaith cadwynol o greadigrwydd yn eich bywyd.

Awgrymiadau ynglŷn â defnyddio'r llyfr hwn

Petai rhywun yn rhoi rhestr i chi o 100 o syniadau ar unrhyw bwnc, byddai gennych chi fan cychwyn da, ond rydw i'n amau a fyddai'n eich arwain chi at greu 100 o'ch syniadau chi eich hun.

Dylai defnyddio'r llyfr hwn eich galluogi chi i barhau i ddyfeisio syniadau newydd. Am byth. Mae hyn oherwydd y byddwch chi'n datblygu eich gallu creadigol chi eich hun, ac ar ôl i chi ei adnabod, bydd hwn yn ddiddiwedd.

Er bod bron 100 o weithgareddau a'u cyfarwyddiadau ar ddiwedd y llyfr (*Llawlyfr 100 o weithgareddau*), rydw i wedi cynllunio'r adrannau i roi cyfle i chi greu eich syniadau eich hun yn gyntaf. Ar ôl gwneud rhai o'r ymarferion creadigol yn yr adran *Creu eich gweithgareddau eich hun*, neu bob un ohonyn nhw, bydd gennych chi gasgliad o syniadau sydd wedi'u haddasu'n benodol i'ch sefyllfa chi.

Mae'r llyfr yma'n rhoi sylw i archwilio'r broses greadigol a sut i ddyfeisio eich syniadau eich hun a'u gweithredu. Felly, byddwch yn gallu meithrin y syniadau ysbrydoledig hyn wrth i chi fynd yn eich blaen, gan ddatblygu dull hollol newydd o dreulio amser gyda rhywun â dementia, yn ogystal â datblygu gweithgareddau newydd.

Mae *Glaw Siocled* wedi'i rannu yn bedair prif adran:

- ***Adran 1***
  cyflwyniad i'r egwyddorion creadigol sy'n sail i'r llyfr
- ***Adran 2***
  casgliad o *offer a syniadau* ar gyfer mynd ati
- ***Adran 3***
  adran ryngweithiol ag ymarferion creadigol i'ch helpu chi i ddechrau ysgrifennu eich syniadau eich hun
- ***Adran 4***
  casgliad o *100 o syniadau* ar gyfer gweithgareddau.

Os ydych chi'n hoff o bori mewn llyfr o dro i dro yn hytrach na'i ddarllen o glawr i glawr, darllenwch y bennod *Camu tuag at eu byd* (t16), beth bynnag, gan fod y syniadau hyn yn sail i bopeth arall.

Yna, ewch ar unwaith i Adran 3 (t66), dewiswch gategori gweithgareddau sy'n ymddangos yn hawdd ac yn berthnasol i chi, a gwnewch yr ymarferion creadigol er mwyn deffro eich dychymyg. Gallwch ddefnyddio'r llyfr yn unigol, mewn timau, neu fel grŵp. Po fwyaf o bobl sy'n ymwneud â'r gweithgareddau, mwyaf cyfoethog y bydd yr amrywiaeth o syniadau a fydd gennych chi yn y diwedd, yn fwy na thebyg.

Dewis arall yw mynd i'r adran *Canllawiau cryno* (t176) a chwilio am bennod sy'n berthnasol i chi; er enghraifft, *Gweithgareddau addas i ddynion*, neu *Gweithgareddau i gleifion sy'n gaeth i'r gwely*. Gallwch ddewis nifer o syniadau a darllen yr adran ar sut i'w gweithredu nhw, neu gallwch chi gyfeirio'n gyntaf at y *Rhestr Weithgareddau* (t180).

Os ydych chi'n credu bod pethau'n bosibl, byddwch yn dod ar draws yr atebion oherwydd byddwch chi naill ai'n chwilio amdanyn nhw, neu yn eu creu nhw.

Rydw i wedi dewis fformat llawlyfr er mwyn gallu cyfeirio'n hawdd ato, a heb gynnwys esboniadau hir am y clefyd. Mae llawer o'r awgrymiadau yn y llyfryddiaeth yn cynnwys gwybodaeth fwy manwl am ddementia.

Rhy anodd?

Ar yr olwg gyntaf, efallai fod rhai o'r gweithgareddau celf yn yr adran *Llawlyfr 100 o weithgareddau* yn ymddangos yn rhy gymhleth i rywun â dementia. Fodd bynnag, fel y bydda i'n egluro'n ddiweddarach yn y llyfr, mae sawl pwrpas i weithgaredd heblaw am gadw rhywun yn brysur neu gyrraedd nod.

Mae'r gweithgaredd yn gyfrwng i sefydlu cysylltiad a chadw cwmni i rywun mewn modd sy'n ystyrlon i'r ddau ohonoch.

Mae gwneud gweithgaredd ym mhresenoldeb y person yn ffordd o ddechrau gyda'r hyn y 'gellir' ei wneud. Dim ond wedyn rydych chi'n dod ar draws pethau wrth i chi fynd yn eich blaen y gallwch chi eu defnyddio i ennyn rhagor o ddiddordeb.

Gwerthfawrogi'r un sydd â dementia

Dydw i ddim yn ystyried yr un sydd â dementia fel fersiwn amherffaith o rywun sydd heb ddementia. Mae hi'n unigolyn unigryw â photensial enfawr i wneud i mi ryfeddu ac i fy nysgu. Mae ei hymdrechion dewr i gyfathrebu, er bod ei hiaith yn pallu, ei dewis annisgwyl o eiriau, a'i hymddygiad llawn mynegiant, i gyd yn fy herio i'w hystyried yn gydradd â mi o ran creadigrwydd.

Rydw i'n cael fy ngwahodd i ddefnyddio fy nghreadigrwydd i ddod o hyd i ffyrdd i gyfathrebu â hi, i'w dilysu ac i'w chefnogi ble y mae hi, fel y mae hi. Yn ystod y cyfarfyddiadau hyn, rydw i'n dysgu derbyn yn ogystal â rhoi, bod yn ogystal â gwneud, a thystio yn ogystal ag ymyrryd. Fel sawl un arall sy'n gweithio gyda phobl â'r cyflwr hwn, mae pob cyfarfyddiad wedi fy nysgu ac wedi fy nghyfoethogi i.

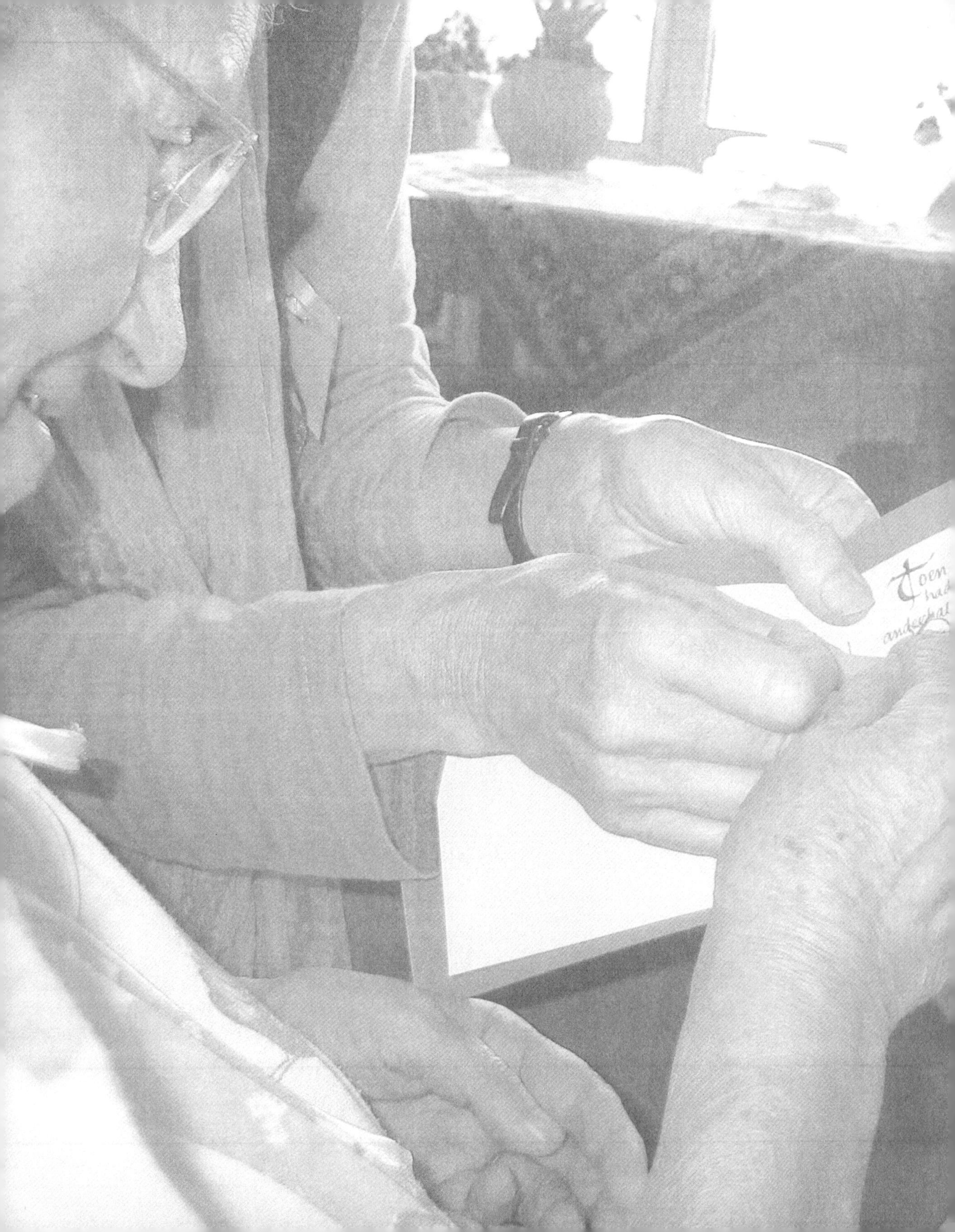

1

ELFENNAU DULL CREADIGOL

Camu tuag at eu byd

Ond dydw i ddim yn un creadigol

Mae nifer o chwedlau'n gysylltiedig â chreadigrwydd a dawn. Yr un fwyaf amlwg yw mai dim ond artistiaid sydd â'r 'hyn y mae ei angen', ac y dylai'r 'gweddill ohonom' beidio â mentro. Rydw i wedi cyfarfod â nifer o bobl sy'n honni 'nad ydyn nhw'n greadigol'. Fodd bynnag, yn y blynyddoedd o ddysgu disgyblaethau gweledol gwahanol, dydw i erioed wedi dod ar draws neb a oedd yn barod i roi cynnig arni, nad oedd yn gallu ei fynegi ei hun yn greadigol.

Oherwydd bod deallusrwydd yn brif elfen yn ein cymdeithas, mae ffyrdd llai rhesymegol o amgyffred heb eu datblygu'n ddigonol, ac felly heb gael digon o barch. Mae rhai o'r rhain yn cynnwys greddf, emosiwn a dychymyg. Mae'r rhain i gyd yn allweddol mewn celfyddyd. Ond maen nhw'n gymwys hefyd i ofal dementia, fel y cawn weld eto yn y drafodaeth hon.

Ymennydd de a chwith

Mae ein cymdeithas yn seiliedig ar ddefnyddio ochr chwith yr ymennydd. Mae hanner chwith yr ymennydd yn rheoli synhwyro a rhesymu, ac mae ochr dde'r ymennydd yn gyfrifol am ffyrdd greddfol a 'dychmygus' o ganfod.

Does dim rhaid i chi wneud celf, na chanu na pherfformio i fod yn greadigol. Yn gyffredinol, mae creadigrwydd yn dechrau wrth ddianc oddi wrth yr agwedd 'fel hyn rydym ni wedi gwneud erioed' er mwyn darganfod agweddau ffres neu eu dychmygu.

Mae gweld o'r newydd fel hyn yn gofyn am symud oddi wrth resymu tuag at ddefnyddio'r dychymyg. Dydi hyn ddim yn golygu ein bod ni'n cefnu ar ein deallusrwydd nac ar ein rhesymeg, ond ein bod ni'n ystyried synhwyrau mwy greddfol ochr dde'r ymennydd yn rhai dilys hefyd. A'n bod ni'n gadael iddyn nhw ddod i mewn i'n golwg ni ar y byd.

Dyma restr o swyddogaethau ochr chwith ac ochr dde'r ymennydd:

HANNER CHWITH YR YMENNYDD	HANNER DE'R YMENNYDD
Gwybodaeth	Dychmygu
Meddwl rhesymegol	Teimlo
Gwneud	Bod
Gwyddoniaeth	Y celfyddydau
Rheoli	Gollwng gafael
Ffeithiau	Syniadau
Cynllunio	Caniatáu datblygu
Deall	Meddwl yn reddfol

Yn ddelfrydol, byddai golwg pawb ar y byd yn gytbwys rhwng amgyffred mewn modd greddfol ac mewn modd rhesymegol. Fodd bynnag, mae ein haddysg, yn enwedig hyfforddiant meddygol y Gorllewin, yn seiliedig yn bendant iawn ar resymeg. Mae'r math hwn o hyfforddiant yn annog pobl i feddwl yn llythrennol. Gan amlaf, dydi hwn ddim yn ddigon i'n paratoi i chwilio'n ffordd drwy diroedd dementia sydd, i bob golwg, yn afresymol.

Yn y blynyddoedd o ddysgu disgyblaethau gweledol gwahanol, dydw i erioed wedi dod ar draws neb a oedd yn barod i roi cynnig arni, nad oedd yn gallu ei fynegi ei hun yn greadigol.

Tir anghyfarwydd

Gall byd dementia ymddangos yn anhrefnus a bygythiol ar y dechrau. Gall emosiwn dwys fod yn brif elfen ynddo. Mae ystumiau ac iaith symbolaidd yn cael eu defnyddio i gyfathrebu, mae gwrthrychau yn cael swyddogaethau newydd ac yn gallu magu nodweddion hudol, ac mae iaith yn ennill ystyr newydd neu'n pallu'n gyfan gwbl.

Mae gofalwyr sy'n gyfforddus yn gweithredu'n greadigol, yn ogystal ag yn broffesiynol, yn mynd i fod yn fwy hyblyg, dyfeisgar a digymell wrth wynebu meddwl rhywun sydd â dementia yn igam-ogamu'n annisgwyl.

Roedd Mr B mewn canolfan gofal yn yr Iseldiroedd yn cynhyrfu mwy a mwy oherwydd ei bod yn rhaid iddo fod mewn cyfarfod busnes yn Cape Town, De Affrica, meddai. Daeth myfyriwr nyrsio ar ei draws yn ceisio dianc o'r ward, a cheisiodd ei gywiro drwy ddweud ei fod yn yr Iseldiroedd, ei fod wedi ymddeol ac nad oedd yn gorfod mynd i gyfarfodydd mwyach. Dim ond ei wneud yn fwy dig wnaeth hyn.

Nyrs gwryw a lwyddodd i'w dawelu yn y diwedd, drwy ddangos parch iddo yn ei sefyllfa. Helpodd y nyrs Mr B i wisgo cot yr oedd y cartref yn ei chadw yn y cyntedd ar gyfer sefyllfa fel hon. Cerddodd y nyrs gyda Mr B, gan sgwrsio am ei waith a'r cyfarfod, nes i'r argyfwng dawelu.
Dydw i ddim yn awgrymu bod datrys pob sefyllfa mor hawdd â hynny – weithiau does dim byd yn helpu o gwbl. Dim ond cynnig caredigrwydd a dealltwriaeth sy'n bosibl wedyn.

Nodweddion dull creadigol

1. 'Meddwl dechreuwr': cynnal agwedd agored heb feirniadu.
2. Rhoi eich sylw llawn i'r person.
3. Trafod y person o safbwynt ei botensial yn hytrach na'i gyfyngiadau.
4. Canolbwyntio ar y broses yn hytrach na'r nod.
5. Dilysrwydd yn hytrach na 'tharo deuddeg'.
6. Goddef ansicrwydd.

DULL CREADIGOL

Yn seiliedig ar oes fel artist gweledol a sawl degawd o weithio gyda chelfyddyd mewn gofal iechyd, dyma rai o nodweddion dull creadigol sy'n berthnasol iawn i sefyllfaoedd gofal, yn fy marn i.

'Meddwl dechreuwr'

Fel artist, mae angen i mi ddod at bob peth newydd y bydda i'n ei ddarlunio â meddwl agored. Os ydw i'n teimlo fy mod i'n gwybod yn barod sut olwg sydd ar rywbeth neu rywun, bydda i'n gwrthod y negeseuon sy'n dod tuag ata i ohono. Hyd yn oed os ydw i wedi darlunio afal ganwaith, dydw i erioed wedi darlunio'r afal hwn yn y golau hwn, ar yr adeg benodol hon. Bob un tro y bydda i'n darlunio, bydda i'n cael fy ngwahodd i fod yn rhan o ddeialog gyda'r hyn rydw i'n ei ddarlunio, a bydda i'n dysgu ganddo.

Mae trafod rhywun sydd â dementia ag agwedd agored yn ein gwahodd ni i fod yn rhan o'r un math o ddeialog agored. Mae'n golygu hefyd gael gwared ar y syniadau sydd gennym ni eisoes am y person a'r salwch. Bydd hyn yn anghyfforddus i weithwyr proffesiynol oherwydd ei fod yn gofyn iddyn nhw roi rhai agweddau o'u hyfforddiant o'r neilltu am ychydig, ac iddyn nhw drafod y sefyllfa â'r un agwedd chwilfrydig a disgwylgar â dechreuwr.

Ansawdd sylw

Efallai mai sylw yw'r rhodd sydd wedi'i gwarafun i ni yn fwy na'r un rhodd arall – bod ar gael yn gyfan gwbl. Rydym ni i gyd yn gobeithio o waelod calon y bydd rhywun i'w rhoi i ni.
Ferrucci P (2005)

Y peth cyntaf y mae artist yn ei wneud wrth ddechrau tynnu llun, chwarae cerddoriaeth neu ysgrifennu cerdd, yw rhoi ei sylw llawn i'r pwnc. Mae gweddill y weithred greadigol yn llifo o'r cyflwr hwn, sef ffordd o weld pethau o'r newydd bob tro, mewn gwirionedd.

Daeth Mrs G draw ac ymuno â grŵp a oedd wrthi'n peintio. Rhoddodd hi ei bys yn y paent a dechrau ei rwbio ar y papur. Rhoddais frwsh iddi, a rhoddodd hi'r ochr 'anghywir' mewn ychydig o baent. Wrth ganolbwyntio'n ddwys, peintiodd smotiau mewn rhyw fath o linell fras (gweler y darlun). Doedden nhw ddim yn ffurfiau roedd hi'n bosibl eu hadnabod, ond roedd patrwm dynamig iddyn nhw.
Gyda'i chymorth hi, llwyddais i'w dehongli fel llawysgrifen yn y diwedd. Gwawriodd hyn arnom ni'n dwy yn sydyn.
Roedd hi wedi ysgrifennu ei henw a'i chyfeiriad, yn gyntaf â'i bysedd, yna ag ochr 'pensil' y brwsh, ac yn olaf â'r blew. (Ychwanegodd y geiriau mewn pensil yn ddiweddarach i egluro'r hyn roedd hi wedi'i ysgrifennu â phaent.)

Wrth roi eich sylw llawn i rywun, dydych chi ddim yn beirniadu. Dydych chi ddim ond yn bresennol gyda nhw; does dim byd yn galw arnyn nhw. Bydd y person yn synhwyro ehangder hyn a bydd yn aml yn dod yn fwy agored mewn ffyrdd newydd.

Mae derbyn rhywun fel y mae, heb ddisgwyl iddo fod yn wahanol, yn ei wneud yn fwy parod i dderbyn, mewn ffordd arbennig. Mae hyn yn eich helpu chi i synhwyro pob math o arwyddion gan y person a'r sefyllfa. Gallwch ddefnyddio'r rhain i ddechrau cyfathrebu a gwneud gweithgareddau. Mae'n eich codi chi allan o'r meddylfryd 'cywiro' ac yn eich gwneud chi'n gydradd â'r person. Felly, rydych yn gallu cael hyd i'r gweithgaredd gorau gyda'ch gilydd.

Potensial: deliwch â'r unigolyn, nid y cyflwr

Mae ymddiried yn y broses yn ymateb agored, hynod sensitif i'r sefyllfa o'ch blaen, sy'n newid yn gyson.

Mae dull creadigol yn dechrau o bosibiliadau sefyllfa yn hytrach na'i chyfyngiadau.
Mae gwerthuso rhywun yn nhermau ei anableddau yn ei wanhau yn llythrennol.
Bydd gofalwyr dychmygus yn gweld y tu hwnt i gredoau cyfyng am y bobl maen nhw'n gofalu amdanyn nhw. Maen nhw'n mentro, yn rhoi cynnig ar bethau newydd ac yn dechrau â photensial yn hytrach nag anabledd. Dydyn nhw ddim yn diffinio'r person yn ôl ei salwch, ac maen nhw'n edrych drwy'r amser am ffyrdd o gadarnhau gwerth yr unigolyn hwnnw.

Â gogwydd at y broses

Nid canlyniadau yw'r nod pwysicaf mewn gweithgareddau i bobl â dementia. Mae canolbwyntio ar ganlyniadau, mewn gwirionedd, yn gallu creu straen yn ogystal ag amodau pan mae'r person a'r gofalwr yn gallu 'methu'.
Mae pob un o fy nghyfarfyddiadau i a fy ngweithgareddau i gyda rhywun sydd â dementia yn agored. Efallai fod gen i gyfeiriad penodol yr hoffwn i fynd iddo, ond dydw i ddim yn dal ato'n haearnaidd. Os bydd rhywbeth arall yn dechrau digwydd yn ystod y broses, bydda i'n ei ddilyn.
Er enghraifft:
Rhoddais bensil a phapur i Mr N. Anwybyddodd y papur a rholiodd ei dei o gwmpas y pensil ac yna'i rolio'n ôl i lawr eto. Roedd y symudiad hwn yn ei gyfareddu. Rhoddais ychydig o begiau pren iddo, a stribedi o liain a rhaff. Fe lapiodd nifer o begiau pren yn y lliain a'u clymu. 'Gweithiodd' drwy'r bore.

Mae Shaun McNiff (1998) yn cyfeirio dro ar ôl tro at 'ddeallusrwydd creadigol' sy'n gynhenid ym mhob sefyllfa. Mae'n ei ddisgrifio fel grym y tu mewn a'r tu allan i'r crëwr sy'n 'gwybod' pa lwybr sy'n addas i'w gymryd.

Mae ymddiried yn y broses yn ymateb agored, hynod sensitif i'r sefyllfa o'ch blaen, sy'n newid yn gyson.

Dilysrwydd yn hytrach na 'tharo deuddeg'

Yn y bôn, mae creadigrwydd yn anhrefnus, ac rydych yn methu ei reoli na'i ragweld – yn eithaf tebyg i ddementia mewn gwirionedd.

Pan fydda i'n dysgu darlunio neu galigraffeg i oedolion, nid creu lluniau 'perffaith' yw'r nod. Yn hytrach, bydda i'n chwilio am fenter a gogwydd bywiog a phersonol, h.y. peidio â throi at ddull sydd wedi gweithio o'r blaen.

Yn yr un modd, wrth wneud gweithgaredd celf gyda rhywun â dementia, bydda i'n canolbwyntio ar ystumiau a gwneud marciau heb feddwl, yn hytrach na chelf sy'n portreadu golwg faterol pethau. Mae hyn yn creu amgylchedd lle nad oes neb yn methu, a lle mae pobl yn gallu dechrau ymlacio a theimlo'n rhydd i roi cynnig ar bethau newydd.
Anaml mae mynegiadau dilys yn 'brydferth' neu'n ddymunol mewn ffyrdd confensiynol, ond mae ganddyn nhw eu harddwch amrwd eu hunain. Mae asesu gwaith celf fel hyn yn gofyn am weld pethau mewn ffyrdd gwahanol, ond mae'n bosibl ei ddysgu.

Efallai fod gwerthfawrogi amherffeithrwydd a dilysrwydd fel hyn yn helpu hefyd i dderbyn pobl â dementia yn union fel y maen nhw. Yn y cyd-destun hwn, dydi ymddygiadau sy'n cael eu hystyried yn 'rhyfedd' ddim yn cael eu hystyried yn broblemau, ond yn cael eu derbyn yn ddefnyddiau crai i'w defnyddio i greu. (Gweler *Dechreuwch yn yr un lle â nhw* t104, a *Gweithgareddau'n seiliedig ar ystumiau* t166.)

Goddef ansicrwydd

Mae gweithio'n barhaus gyda'r broses greadigol yn datblygu goddefgarwch ar gyfer ansicrwydd parhaus. Pan fydda i'n dechrau, dydw i byth yn siŵr ble y bydda i'n gorffen.

Yn aml, yng nghanol proses greadigol mae pethau'n troi'n draed moch llwyr cyn iddyn nhw ddod at ei gilydd eto ar ffurf newydd. Mae'n cymryd llawer o ffydd a phrofiad i lywio'r cyfnodau anhrefnus hyn ac aros iddyn nhw eu datrys eu hunain. Mae cyfarfyddiadau â phobl â dementia yn gallu cymryd ambell dro annisgwyl, gan wneud i chi deimlo'n ansicr. Ond gydag ymarfer, rydych chi'n dysgu symud gyda rhythm rhyngweithio, gan gynnal eich sefydlogrwydd eich hun. Neu dynnu'n ôl, os oes rhaid.

Ladder to the Moon

Mewn dull creadigol o gyfathrebu â phobl â dementia, y prif nod yw peidio â chyflawni dim. Y bwriad yw bod mewn ennyd gyda'ch gilydd a gweld beth sy'n digwydd. Bydda i'n treulio amser gyda rhywun mewn ffordd ddynamig: mae fy holl synhwyrau yn effro i'r hyn y mae'r person yn ceisio'i gyfleu, a bydda i'n ymestyn fy ngallu i'w helpu i wneud hynny.

Agweddau creadigol

Dyma ychydig enghreifftiau o agweddau creadigol ar waith, mewn cyfarfyddiad â rhywun sydd â dementia:

Mae'r gweithiwr creadigol:

- yn ymwneud â'r person yn agored, heb ragfarn o ran yr hyn y mae'n gallu ei wneud neu'n methu ei wneud, yn ôl pob sôn; yn diystyru rhagdybiaethau pobl eraill am yr hyn y mae'n methu ei wneud ac yn dibynnu ar ei deimladrwydd i asesu gallu'r person
- yn cydnabod potensial y person a'i alluoedd ac yn ei gefnogi
- yn wyliadwrus ac yn canolbwyntio'i sylw ar y person, yn sylwi ar gyflwr ei feddwl a'r hyn sydd o'i gwmpas
- yn addasu i'r sefyllfa
- yn mentro ac yn mynd i dir anghyfarwydd drwy aros ac ymateb i ymddygiad rhyfedd neu ddryslyd mewn ffordd bwyllog, ddigynnwrf
- yn derbyn ystumiau, lleferydd a synau 'disynnwyr' yn ymdrechion dilys i gyfathrebu, ac yn ceisio ymateb iddyn nhw
- yn ymddiheuro am ei ffaeleddau os yw'n methu deall beth mae'r person yn ceisio'i ddweud
- yn chwarae, yn chwilota, yn cyfrannu
- yn ymlacio'i rôl fel gofalwr, yn agored i dderbyn
- yn gadael i'w hunan rhesymol gymryd cam yn ôl ac yn ymddiried yn ei reddf neu ei synhwyrau
- yn derbyn chwarae'r ffŵl a bod mewn sefyllfaoedd afresymol – yn gadael i'w synnwyr digrifwch arwain.

Ladder to the Moon

Mae'r dull hwn yn annog y **canlyniadau** canlynol:

rhagor o ymddiriedaeth

cysylltiadau calon wrth galon

cyfnodau hirach o gallineb

ymddygiad tawel yn hytrach na chynhyrfus

yr un â dementia yn cymryd y cam cyntaf

y cof yn gweithio'n well

cymryd rhan yn frwd

cyfathrebu

cysylltiad corfforol yn fwy aml

dysgu sgiliau newydd

Yr un sydd â dementia

Pan mae iaith a gweithred yn bradychu pobl sâl, a'u gadael heb y gallu i fynegi'r hyn y maen nhw'n ei olygu, yr unig beth sy'n weddill yw gweithredu.

Mae actio'n dod yn bortread symbolaidd o'u gwirionedd nhw.

Yn ystod yr holl flynyddoedd [o weithio gyda phobl â dementia] dydw i erioed wedi dod ar draws ymddygiad anodd nad oedd wedi'i achosi gan anghenion heb eu diwallu neu driniaeth wael gan ofalwyr.
Frena Gray Davidson (1995)

Grymuso'r un sydd â dementia

Un o brif amcanion y llyfr hwn yw dileu'r holl bosibilrwydd o 'anabledd gormodol', sef cyflwr rhywun yn dirywio oherwydd sut y mae'n cael ei drin, neu oherwydd amodau gwael ei ofal neu ei amgylchedd.

Mae'r syniadau ar gyfer gweithgareddau yn darparu modd i fod gyda rhywun ar dir cyfartal, gan ei barchu, ac i dreulio amser pan fydd y ddau ohonoch yn mwynhau, gan wneud gweithgareddau ystyrlon sy'n addas i oedolyn.

Er bod y gair yn cael ei ddefnyddio'n eang o hyd, mae cyfeirio dro ar ôl tro at rywun yn 'dioddef o ddementia' yn negyddol; mae hyn yn golygu mai'r salwch sy'n ei ddiffinio. Ar y llaw arall, os ydych chi'n dweud 'rhywun â dementia', fel y byddech chi'n cyfeirio at 'rywun â chanser' neu unrhyw afiechyd arall, rydych yn cyfeirio at y person yn gyntaf, a'i salwch yn ail.

Mae grymuso pobl yn wahanol i'w helpu nhw, oherwydd mae'n golygu ymwneud â nhw o safbwynt eu cryfderau yn hytrach na'u cyfyngiadau. Rydych yn ymdrin â nhw yn gyfartal ac yn archwilio'r posibiliadau gyda'ch gilydd.

Mae 'cynorthwywyr' yn amgylchynu pobl mewn cartrefi nyrsio. Yn anochel, mae hyn yn cyfyngu rôl y bobl hyn i fod yn 'rhai sy'n cael cymorth'. Un o'r pethau mwyaf y gallwch chi ei wneud i rymuso rhywun yn y sefyllfa hon yw rhoi cyfle iddo eich helpu chi, neu i'w helpu ei hunan.

Mae'n bosibl gwneud yr holl weithgareddau yn y llyfr hwn mewn modd sy'n pwysleisio cryfderau pobl a'u potensial. Eu nod yw cyfoethogi'r un sydd â dementia a'i gefnogi ym mha gyflwr bynnag y mae, nid 'ei gadw'n brysur'.

Mae dementia yn tynnu grym oddi arnoch yn llwyr. I'r rheini sy'n dal i fyw gartref, mae'r gweithgareddau wedi'u cynllunio i ddod â sefydlogrwydd a normalrwydd i fyd sydd wedi'i droi ben i waered wrth golli galluoedd gwybyddol.
Ac i bobl mewn lle sefydliadol, mae'r gweithgareddau wedi'u cynllunio i roi synnwyr o gartref, cwmnïaeth ddiffuant a synnwyr o ymreolaeth iddyn nhw.

Sawl math o resymeg
Mae Jitka Zgola yn adrodd stori, wedi'i gosod mewn cartref nyrsio seiciatrig.

Roedd dyn yn trio mynd mewn i wely menyw ar adeg benodol yn y nos. Ar ôl dadansoddi'n ofalus a sgwrsio â theulu'r dyn, mae'n ymddangos nad achos o anfoesoldeb oedd hyn, ond colli'i ffordd.

Pan fyddai'r dyn yn codi yn ystod y nos i ddefnyddio'r toiled, byddai wedyn yn mynd yn ôl i'w wely ef, neu felly roedd yn tybio. Gartref, roedd ei ystafell i'r chwith o'r toiled, ond yn y cartref nyrsio, roedd ei ystafell i'r dde. Roedd ystafell y fenyw lle'r oedd y dyn yn credu y dylai ei ystafell ef fod.
Roedd ei ymresymu yn hollol iawn, ond doedd y gwirionedd ddim yn cyd-fynd ag ef. Zgola (1999)

Mae yna nifer helaeth o storïau tebyg, lle mae unigolion yn gweithredu'n hollol resymegol, yn eu barn nhw. Fodd bynnag, oherwydd ein rhagfarnau ni am ddementia ac oherwydd diffyg ffeithiau penodol, rydym ni'n meddwl bod eu hymddygiad nhw'n afresymol neu'n waeth na hyn.

Dydw i ddim yn honni fod modd dehongli holl ymddygiad pobl â dementia fel hyn. Ond mae ffordd bell i fynd, yn bendant, cyn y byddwn ni wedi bod drwy'r holl bosibiliadau o ddeall beth sy'n gwneud i rywun wneud neu ddweud rhywbeth penodol.

Os ydych chi'n gallu'ch dychmygu eich hun fel yr un â dementia, sut yr hoffech chi i rywun eich trafod chi? Petai rhywun yn eich gweld chi fel person cyfan, rhesymol, byddech chi'n cael cyfle i'ch mynegi eich hun heb roi pwysau arnoch chi. Ar y llaw arall, os bydd pobl yn eich trin fel person gwallgof dro ar ôl tro, sy'n dweud pethau disynnwyr ac yn gwneud pethau rhyfedd, mae siawns go dda y byddech chi'n teimlo'n rhwystredig ac yn dechrau dangos ychydig o 'ymddygiad trafferthus'. Fe fyddwn i!

Dyna pam y mae'r llyfr hwn yn erfyn arnom ni i ddysgu defnyddio a gwerthfawrogi ein dychymyg lawn cymaint â'n deallusrwydd wrth ryngweithio â phobl sydd â'r cyflwr hwn. Drwy gamu i'w lle nhw a cheisio deall yr hyn y maen nhw'n trio'i fynegi, rydym yn dangos parch at y bobl hynny eisoes ac yn rhoi cyfle iddyn nhw gyfathrebu â ni.

Dod â chi'ch hun ar y daith

'Mae fy mam yn fyddar ac mae ei golwg yn dirywio. Mae hi'n gaeth i'r gwely a dyw hi ddim yn ymwybodol iawn – mae fel petai hi heb fy adnabod i, hyd yn oed. Pam ddylwn i barhau i ddod i'w gweld, a beth alla i ei wneud pan fydda i yno?'

Mae'n gallu bod yn hynod anodd treulio amser gyda rhywun y mae ei alluoedd meddyliol a chorfforol yn dirywio, ac sy'n methu cyfrannu bellach at sgyrsiau neu weithgareddau 'normal'. Fodd bynnag, y drasiedi go iawn yw pan mae teuluoedd yn rhoi'r gorau iddi yn y cyfnod hwn ac yn peidio ag ymweld.

O ran cyfathrebu, mae cyfnodau dementia datblygedig yn hynod heriol i bawb. Eto, rydw i'n teimlo bod rhan o'r person yn dal i fod y tu hwnt i'r symptomau y gallwn fynd i'r afael â hi. Dro ar ôl tro, rydw i wedi gweld unigolion nad ydyn nhw'n ymateb yn gyffredinol, yn sirioli pan mae perthynas agos yn ymweld â nhw. A hyd yn oed pan nad oes newid allanol gweledol, sut y gall neb wybod i sicrwydd nad yw presenoldeb gofalgar yn cysuro?

Mewn ward ar gyfer cleifion dementia datblygedig, roedd menyw a oedd wedi bod yn gaeth i'w gwely ers blynyddoedd:

Roedd Greta yn gorwedd ar ei chefn mewn rhes o welyau, awr ar ôl awr, ddydd ar ôl dydd, yn syllu ar y nenfwd. Ei hunig gyswllt cymdeithasol oedd ei gofalwyr yn ei golchi a'i gwisgo. Roedd hi'n methu siarad, ond roedd hi i'w gweld yn ymwybodol iawn pan fyddai ein llygaid yn cwrdd. Roedd hi'n anodd gwybod sut i gysylltu â hi, neu ai hyn oedd ei dymuniad, hyd yn oed.
Serch hynny, byddai ei chwaer yn teithio ar y trên, taith o dair awr bob ffordd, i'w gweld hi bob wythnos. Byddai'n dod â sudd ffrwythau ffres a blodau, ac yn siarad â'i chwaer drwy gydol yr ymweliad, gan roi iddi'r newyddion diweddaraf am y teulu.

Ymweliad teuluol arferol oedd hwn, a gwelais faint o ddaioni roedd yn ei wneud i'r claf ac i'r chwaer.

Yn aml, perthnasau a ffrindiau yw'r cysylltiadau olaf sydd gan y person â'i fyd cyfarwydd sy'n chwalu. Eu rôl bwysig a gwerthfawr nhw, yn fy marn i, yw cadw ei orffennol yn ddiogel iddo.

Mae gofalwyr yn gallu chwarae rhan bwysig hefyd mewn cynnal hunaniaeth. Drwy ddod i gysylltiad â rhywun bob dydd, rydych yn dechrau dod yn gyfarwydd â'ch gilydd. Wrth i chi ddod yn fwy cyfforddus gyda defnyddio'ch dychymyg yn ystod tasgau gofal dyddiol, gall eich sylw chi wneud gwahaniaeth pendant i fywyd rhywun.

Geiriau

Er mai geiriau yw ein ffordd naturiol o gyfathrebu, pan mae geiriau yn peidio â gwneud synnwyr i'r un sydd wedi'i effeithio, y cyfan mae'n rhaid ei wneud yw dod o hyd i ffyrdd eraill o gyfathrebu. Beth bynnag yw'ch perthynas chi â'r un sydd â dementia, mae gennych chi lawer mwy o adnoddau i'w defnyddio nag yr oeddech chi'n ei feddwl i ddechrau.

Mae'r rhan fwyaf o'r awgrymiadau isod yn defnyddio geiriau, mae'n wir, ond mewn ffordd nad yw'n gofyn am ymateb. Fel hyn, rydych chi'n creu llif esmwyth o eiriau sy'n cysuro, a hyd oed os nad yw'r person yn deall yr union ystyr, rydych chi'n cydnabod ei werth drwy siarad ag ef a'i gynnwys mewn rhyngweithio cymdeithasol.

Dyma rai awgrymiadau ar gyfer treulio amser gyda rhywun â nam gwybyddol:

Cyfarchwch y person yn glir, cyflwynwch eich hun os oes angen ac esboniwch pam rydych chi wedi dod. Efallai y dylech chi sôn am yr hyn rydych chi'n bwriadu ei wneud. Gallai hyn fod yn ddim ond, 'Rydw i wedi dod i ymweld â chi ac i eistedd yma am ychydig. Neu efallai y gallem ni fynd am dro, mae'r tywydd yn braf.'

Os ydych chi'n eistedd mewn ystafell neu lolfa, gofalwch ei fod yn gyfforddus: mewn modd parchus a chynnil, gofalwch fod ei anghenion corfforol sylfaenol wedi'u bodloni, fel mynd i'r toiled. Edrychwch i weld a yw ei ddillad yn gyfforddus, nid yn rhy dynn nac yn rhy lac, nac yn rhy gynnes.

Eisteddwch mewn man lle mae'r ddau ohonoch chi'n gyfforddus ac yn gallu gweld eich gilydd yn dda. A yw'r person yn drwm ei glyw ar un ochr? Ystyriwch hyn wrth i chi eistedd.

A yw yn y gwely? Eisteddwch lle mae'n gallu eich gweld a'ch clywed chi yn gyfforddus.

Mae dechrau gyda phaned o de yn arfer da. Mae'n rhoi rhywbeth i chi ei wneud ac yn weithred o groeso a chyfeillgarwch, a does dim rhaid i chi feddwl am ddim i'w ddweud ar unwaith.

Ceisiwch ymarfer dim ond bod yno. Mae bod yno yn rhoi cyfle i chi deimlo'r hyn sydd ei eisiau arnoch chi heddiw, ac ar yr un rydych chi gydag ef neu hi. Edrychwch ar y bennod nesaf, *Bod yno.*

Torri'r ias

Mae brawddeg syml fel 'Sut rydych chi heddiw?' yn cynnwys y person mewn sgwrs ar unwaith. Neu, dwedwch, 'Dwi wedi gweld y ffrog yna o'r blaen, mae'n gweddu i chi. Dwi wrth fy modd â'r lliwiau glas a'r porffor gyda'i gilydd. Ydych chi? Edrychwch, mae'r ffrog yr un lliw â'r blodau hyn ar y bwrdd.'

Byddwch yn ymwybodol o'r hyn sy'n digwydd o'ch cwmpas. Efallai ei bod hi'n ben-blwydd ar rywun a bod cacen i bawb, neu efallai fod digwyddiad wedi'i drefnu yn y cartref rydych chi am fynd iddo neu ei osgoi.

Os oes teledu neu radio ymlaen drwy'r amser, gall yr ysgogiadau ychwanegol darfu ar allu'r person i ganolbwyntio. Fe allai fod yn addas i chi fynd â'ch ffrind, eich mam, y claf, allan o'r lolfa i fan mwy distaw. Neu, chwaraewch gerddoriaeth glasurol dawel neu synau natur i dawelu'r cefndir.

Dangos a dweud

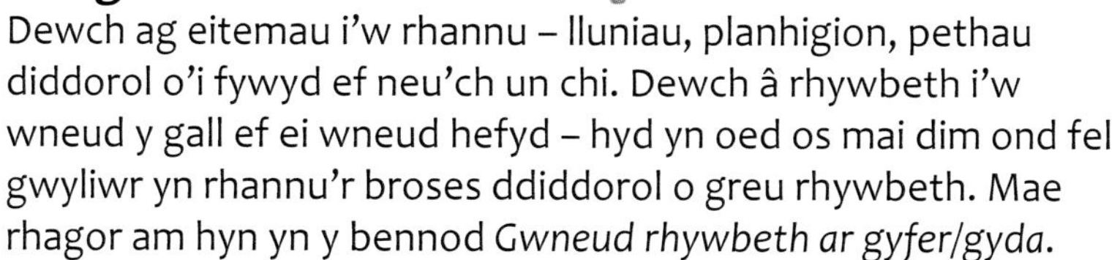

Dewch ag eitemau i'w rhannu – lluniau, planhigion, pethau diddorol o'i fywyd ef neu'ch un chi. Dewch â rhywbeth i'w wneud y gall ef ei wneud hefyd – hyd yn oed os mai dim ond fel gwyliwr yn rhannu'r broses ddiddorol o greu rhywbeth. Mae rhagor am hyn yn y bennod *Gwneud rhywbeth ar gyfer/gyda*.

Siopau nwyddau ail-law

Roeddwn i bob amser yn chwilio am bethau diddorol i fy ngrŵp. Dyma rai rydw i wedi'u casglu dros y blynyddoedd:

- llyfrau lluniau perthnasol amrywiol; er enghraifft, *Oceangoing vessels* ar gyfer y cyn-Gapten R
- set gyfan o hen lestri bach copr a oedd yn ffynhonnell ddiddiwedd o storïau a chysylltiadau
- hen emwaith a sgarffiau rhyfeddol a gafodd eu rhannu ymysg y menywod am fisoedd
- hen waledi a phyrsiau. Roedd galw mawr am y rhain; roedd pobl yn hoffi'r cyfrifoldeb o gael waled neu bwrs eto. Helpais i nhw i'w llenwi â darnau arian a phapurau a oedd yn ymddangos yn bwysig, â'u cyfeiriad, eu henw ac unrhyw wybodaeth arall yr oedden nhw'n ei hystyried yn berthnasol.

Iawn, roedd yr eitemau hyn yn cael eu gadael, eu hanghofio neu eu cymryd gan breswylwyr eraill weithiau (yn aml yr un diwrnod ag y cafwyd nhw), ond dyma sy'n digwydd gyda dementia. Ni chollwyd y foment o roi, fodd bynnag. A hyd yn oed os nad oedden nhw'n cofio'r manylion penodol, daeth y bobl roeddwn i'n gweithio gyda nhw i gysylltu fy mhresenoldeb i â hwyl a darganfod.

Ymarferion

1. Rhestrwch dri o'ch diddordebau chi, a sut y gallech chi eu rhannu â phreswyliwr/claf. (Awgrym: dewch â pherlysiau neu blanhigion persawrus o'ch gardd a gadewch i bobl eu harogli. Soniwch am gysylltiadau â lafant, er enghraifft.)

2. Pa un o straeon eich teulu a allai fod yn berthnasol i'r un rydych chi gydag ef? Ceisiwch ei gynnwys wrth i chi ddweud y stori wrtho.

3. A oes stori neu gerdd y gallech chi ei hadrodd neu ei darllen i rywun? Hyd yn oed os nad yw'n deall 100%, mae gwrando ar stori neu gerdd yn gallu bod yn gysur. Mae mynegiant eich wyneb a goslef eich llais yn gallu cyfleu ystyr y geiriau.

4. Beth yw eich ffordd fwyaf naturiol o gyfathrebu? Rhowch gynnig ar ffordd newydd sy'n eich herio ychydig, fel canu. (Awgrym: os ydych chi'n siarad fel arfer, gwrandewch ar gerddoriaeth gyda'ch gilydd, neu byddwch yn ddistaw, gan gyffwrdd â'ch gilydd, os yw hyn yn addas.)

5. Dewch ag iPod neu ddyfais arall gyda chi a rhannwch eich hoff gerddoriaeth. Os ydych chi'n ifanc, dangoswch iddo'r gerddoriaeth mae'ch cenhedlaeth chi yn ei mwynhau; efallai y bydd yn chwerthin, o leiaf!

6. Os ydych chi'n gyfarwydd ag ardal enedigol y preswyliwr, efallai yr hoffai glywed y newyddion diweddaraf neu'r clecs. Defnyddiwch luniau neu eitemau eraill.

7. Ydych chi'n ailaddurno eich cartref? Neu yn rhan o brosiect arall â gwahaniaeth mawr rhwng y 'cyn' a'r 'wedyn'? Dewch â lluniau o'r broses.

8. Mae babanod newydd yn bwnc gwych i'r rhan fwyaf o bobl. Mae'r babi ei hun, neu luniau neu fideos ohono, yn hwyl.

9. Unwaith, fe dreuliais i brynhawn cyfan yn dangos rhyfeddodau fy ffôn symudol newydd i dair menyw. Roedd hyn yn hudol iddyn nhw: roedden nhw wedi clywed am fy ngŵr, ac roedden nhw'n gallu siarad ag ef nawr. Oes gennych chi declyn tebyg i wneud i bobl ryfeddu?

Bod yno

Un diwrnod yn ystod fy mis cyntaf yn gweithio yn y cartref, roeddwn yn sefyll yng nghanol ward heb yr un syniad beth i'w wneud nesaf.
Roedd saith gwely yn erbyn y waliau o fy nghwmpas i, ac ynddyn nhw bobl yng nghyfnodau olaf dementia a'u bywydau. Roeddwn i wedi rhoi cynnig eisoes ar ffyrdd gwahanol o gysylltu â'r unigolion hyn, yn llwyddiannus weithiau; ond y diwrnod hwnnw, roeddwn i'n brin o syniadau.

Yr unig beth roedd arna i eisiau ei wneud mewn gwirionedd oedd rhoi'r ffidl yn y to a mynd adref, a gadael yr ystafell ddigalon hon a oedd yn llawn pobl ddryslyd ar eu gwely angau.
Yr union eiliad i mi dderbyn y teimlad hwn a chyfaddef fy mod wedi fy nhrechu, crwydrodd un o'r preswylwyr o adran arall i mewn, a'm taro'n ysgafn ac yn gysurlon ar fy nghefn. Roedd y fenyw hon fel arfer yn fewnblyg ac yn adnabyddus am ei digwyddiadau ymosodol sydyn, felly roedd ei hempathi wedi fy synnu'n llwyr.
Safodd o fy mlaen nes iddi weld fy mod i'n teimlo'n well, yna dywedodd, 'Da iawn', trodd ar ei sawdl a gadawodd.

Pe bawn i heb gyrraedd y pwynt hwnnw, rydw i'n amau a fyddwn i wedi bod yn ddigon agored i dderbyn yr anrheg annisgwyl honno gan Mrs W. Y diwrnod hwnnw, ni ddaeth fy ysbrydoliaeth yn ôl, felly eisteddais yn dawel gyda menyw wrth ochr ei gwely. Ac roedd hynny'n iawn.

Mae bod yno yn gelfyddyd ddiflanedig

Rydym ni'n teimlo'i bod yn rhaid i ni, wrth roi gofal yn enwedig, 'Wneud Rhywbeth' o hyd. Rydym ni wedi colli'r gallu i eistedd yn llonydd a theimlo'n gyfforddus yn gwneud dim byd, ac yn bwysicach byth, i ystyried hynny yn rhan ddilys o'n gwaith. Gallwch dreulio amser gyda rhywun yn dawel; mae hyn yn gallu bod yn llesol iawn i'r ddau ohonoch.

Un o'r pethau cyntaf mae 'dim ond bod yno' yn gallu'i gyflawni yw rhoi amser i'r un sydd â dementia ddechrau rhywbeth. Mae pobl â dementia yn oedi yn aml cyn ymateb i ysgogiadau. Wrth ddysgu disgwyl yn dawel am ragor o eiriau neu ystumiau, rydych yn helpu'r person i ymlacio, ac efallai y bydd yn ceisio cysylltu â chi.

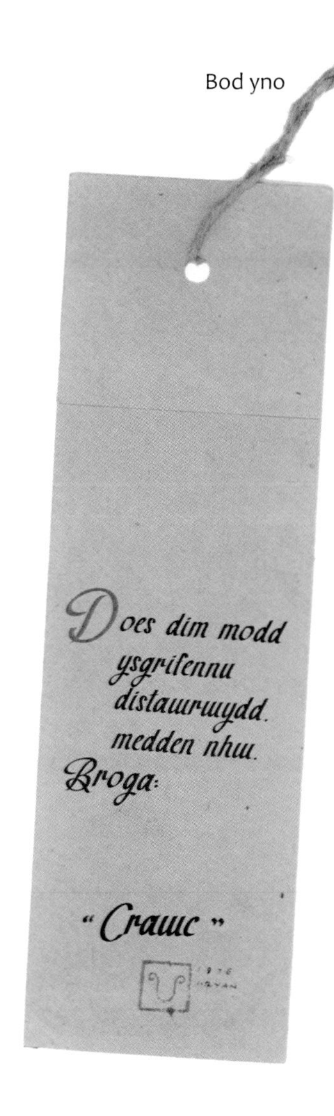

Distawrwydd

Yn aml, rydym ni'n cynllunio cymaint oherwydd ein bod ni'n anghyfforddus mewn sefyllfa segur a'r distawrwydd sy'n dod gyda hyn.

Mae mwy a mwy o bobl yn talu arian da i fynd i ganolfannau encil tawel oherwydd eu bod yn anfodlon gyda holl gleber cyson y cyfryngau, e-byst, radios, fideos, y teledu, hysbysfyrddau a mân siarad. Mae'r diwrnodau cyntaf yn y ganolfan encil neu'r fynachlog yn anghyfforddus iawn i'r rhan fwyaf o bobl. Ond yn raddol, wrth ryddhau'r meddwl, mae'n tawelu yn y diwedd ac mae nifer o bobl yn profi heddwch dwfn.

Dechrau â'r sefyllfa o'ch blaen chi

Dechreuwch yn y man lle mae'r un sydd â dementia. Cyn i chi allu 'GWNEUD' dim gyda rhywun, mae'n rhaid i chi allu asesu'r sefyllfa rydych chi ar fin mynd i mewn iddi.

Wrth i chi ddod i mewn i'r ystafell a chyfarch eich ffrind neu'ch perthynas sydd â dementia, arhoswch am ennyd. Eisteddwch, synhwyrwch yr ystafell, y person a'r awyrgylch. Teimlwch yr hyn sy'n digwydd yn yr adeilad i gyd; efallai fod pobl yn rhedeg yn ôl ac ymlaen, neu fod tensiwn yno, neu fod y lle yn anarferol o dawel. A oes cwmwl emosiynol ar ôl i rywun farw? A oes problemau cyfrinachol mae angen eu datrys?

Sylwch ar eich anadlu, tawelwch eich meddyliau, a theimlwch eich corff. Dewch yn ymwybodol o anadl yr un rydych chi'n ymweld ag ef.

A yw hon yn adeg o'r dydd pan mae'r person yn effro, neu a oes angen gorffwys arno?

Penderfynwch ar raddfa'r gweithgaredd yn ôl hynny. Os yw'n bresennol ond nid yn rhy effro, efallai mai mynd am dro neu wrando ar gerddoriaeth sydd orau. Mae rhinweddau gwahanol yn gallu perthyn i ddistawrwydd; ac yn sicr, mae eistedd gyda rhywun heb 'wneud' dim yn gallu bod yn lletchwith. Ond mae ymarfer derbyn anghysur distawrwydd yn gallu gwneud gwahaniaeth go iawn yn ansawdd yr amser y byddwch yn ei dreulio gyda rhywun. Mae'n eich galluogi i fynd am dro heb orfod mân siarad, er enghraifft. Yn gyffredinol, bydd eich tempo a'ch osgo yn mynd yn fwy tawel, yn fwy araf, yn fwy ymatebol. Mae'r rhan fwyaf o gyfathrebu'n digwydd yn ddieiriau ac mae'n debygol y bydd hwyl yr un sydd gyda chi yn addasu i'r tawelwch rydych chi'n ei gyfleu.

Gwacter yw'r cyflwr y mae creadigrwydd yn dod ohono. Mae 'bod yno' yn golygu ymddiried eich bod chi'n gwybod beth i'w wneud nesaf, hyd yn oed os nad ydych chi'n gwybod hynny ar hyn o bryd.

Yn aml, yr unig beth sydd gan bobl â dementia yw'r foment bresennol, y 'Nawr'. Rydym ni, ar y llaw arall, yn tueddu i fyw yn ein meddyliau, naill ai yn y gorffennol neu yn nychymyg y dyfodol. Pan fyddwn ni'n ymuno yma a Nawr â'r un sydd â dementia, rydym ni'n cael anrheg. Mae bywyd yn gallu datblygu mewn ffordd annisgwyl pan fyddwn ni'n derbyn cyfoeth un foment ar y tro.

Yn ôl rhai athrawon ysbrydol, mae bywyd yn dragwyddoldeb o'r fath adegau Nawr. Tolle E (1999) *The Power of Now.*

Ymarferion

1. Rhowch y gorau i'r hyn rydych chi'n ei wneud nawr, ac eisteddwch. Sylwch ar eich anadlu, teimlwch eich corff ar y gadair, sylwch ar eich meddyliau. Eisteddwch yn dawel a pheidiwch â gwneud dim byd. Mae munud neu ddau nawr yn iawn, ond ceisiwch gynyddu'r amser i hyd at bum munud o segurdod. Os yw hyn yn dod â heddwch i chi, ceisiwch ei wneud sawl gwaith mewn diwrnod.

2. Peidiwch â darllen dim byd am ddiwrnod, i gael syniad o sut rydym ni'n gyson yn llenwi ein hamser â gweithgareddau sy'n defnyddio geiriau. Yn *The Artist's Way* gan Julia Cameron (1994), un o'r tasgau ar gyfer datblygu creadigrwydd yw wythnos gyfan o beidio â darllen. Mae'n ymarfer pwerus sy'n datgelu sut y mae'r arfer o fynd ar y cyfrifiadur, gwylio'r teledu, darllen cylchgrawn neu lyfr, ddim ond i wastraffu amser, yn disodli cyfleoedd i wneud gweithgaredd creadigol ac i fyfyrio.

3. Sylwch ar anadl yr person arall a cheisiwch anadlu ar yr un pryd ag ef. Gwnewch hyn nes y byddwch yn teimlo'n anghyfforddus.

4. Dewch â gwaith llaw neu wnïo i'w wneud tra byddwch chi'n eistedd gyda'r person. Ceisiwch ei gynnwys yn y broses drwy ddangos y gwaith iddo a dweud beth rydych chi'n ei wneud. Ond os bydd mewn hwyliau gorffwys, peidiwch â gofyn iddo gymryd rhan.

5. Beth arall allech chi ddod gyda chi i'w wneud, nad yw'n gofyn am eich sylw llawn, er mwyn i chi deimlo'n ddigon rhydd i fod yn bresennol gydag ef?

Myfyrio

Wrth i ni ddarganfod yr un sydd â dementia, rydym yn ein darganfod ein hunain hefyd, i raddau. Oherwydd yr hyn sydd gennym i'w gynnig yn y pen draw yw ein grym i deimlo, i roi, i gamu i le rhywun arall drwy ddefnyddio'n dychymyg, nid arbenigedd technegol ond cyneddfau cyffredin wedi'u codi i lefel uwch.
Tom Kitwood (1993)

Os ydych chi o oedran penodol, efallai y byddwch chi'n anghofio pethau weithiau, fel minnau. Mae hyn yn arferol, ond yn rhoi cip i chi ar sut deimlad yw bod â dementia.

Sawl blwyddyn yn ôl, ar daith arferol i dynnu arian o'r peiriant arian, anghofiais fy nghod pin sydd wedi bod gen i ers deng mlynedd. Fe rois i gynnig ar gyfuniadau amrywiol, nes i'r peiriant fygwth atal fy ngherdyn, ond roedd hi'n amhosibl cofio'r pedwar rhif yn eu trefn. Roedd colli gwybodaeth o'r isymwybod yn llwyr, er mai dros dro yn unig oedd hyn, yn sioc i mi.

Mae'r bennod hon yn bwysig ar gyfer cyfathrebu a chynllunio gweithgareddau, oherwydd ei bod yn rhoi cipolwg i chi ar sut deimlad yw graddol golli eich gafael ar realiti. Gall y cipolygon hyn eich gwneud yn fwy sensitif ac yn fwy effro fel gofalwr neu gydymaith i rywun sy'n gorfod byw bob diwrnod mewn byd o gysylltiadau toredig.

Mae ychydig o ymarferion yn dilyn sy'n eich helpu chi i gofio neu ddychmygu eiliadau tebyg. Os ydych chi'n cymryd yr amser i wneud hyn, byddwch yn deall eich perthynas neu'ch preswyliwr/claf yn well, ac yn gallu ei helpu'n well hefyd. Mae'r ymarferion yn fwyaf effeithiol os ydyn nhw'n cael eu gwneud gyda rhywun arall neu yn ysgrifenedig.

Ymarferion

Meddyliwch am y canlynol am ennyd:

1. Cofiwch adeg pan anghofioch chi:
   a. apwyntiad
   b. enw rhywun
   c. ble y rhoesoch chi eich allweddi neu'ch sbectol

2. Ydych chi erioed wedi camgymryd gwrthrych cyffredin am rywbeth arall? Er enghraifft, roeddech chi'n meddwl eich bod yn gweld neidr yn y goedwig, ond rhaff oedd yno.

3. Ydych chi erioed wedi colli eich ffordd ar stryd gyfarwydd, neu wedi troi cornel a cholli'ch ffordd yn lân yn sydyn?

4. Sut deimlad yw methu cofio gair penodol?
   Gwnewch yr ymarfer isod yn gyflym heb feddwl gormod, fel pe baech chi'n sgwrsio ac yn gorfod meddwl am air yn y fan a'r lle:
   Meddyliwch am air neu ymadrodd arall ar gyfer y geiriau canlynol ar unwaith. (Enghraifft: *glaw* – 'y diferion sy'n dod allan o gymylau') *car, cloc, gwniadur, cath, powlen*

5. Ydych chi erioed wedi deffro mewn ystafell anghyfarwydd ac yn methu cofio am eiliad ble'r oeddech chi? Ewch yn ôl at y teimlad hwnnw a'i ddisgrifio.

6. Mae ffrindiau'n trafod digwyddiad yr oeddech chithau ynddo hefyd. Rydych chi'n adnabod y stori, ond yn cofio rhai elfennau sy'n hollol wahanol i'w fersiwn nhw. Mae'r ddwy ochr yn sicr o'u fersiynau nhw. Sut deimlad yw hyn?

7. A oes rhywun wedi dweud wrthych chi erioed eich bod chi heb wneud rhywbeth roeddech chi'n sicr eich bod chi wedi'i wneud? Sut mae hynny'n gwneud i chi deimlo?

8. Beth gawsoch chi i swper wythnos yn ôl?

... ALLAN A'U GLUDO YN EICH LLYFR NODIADAU.

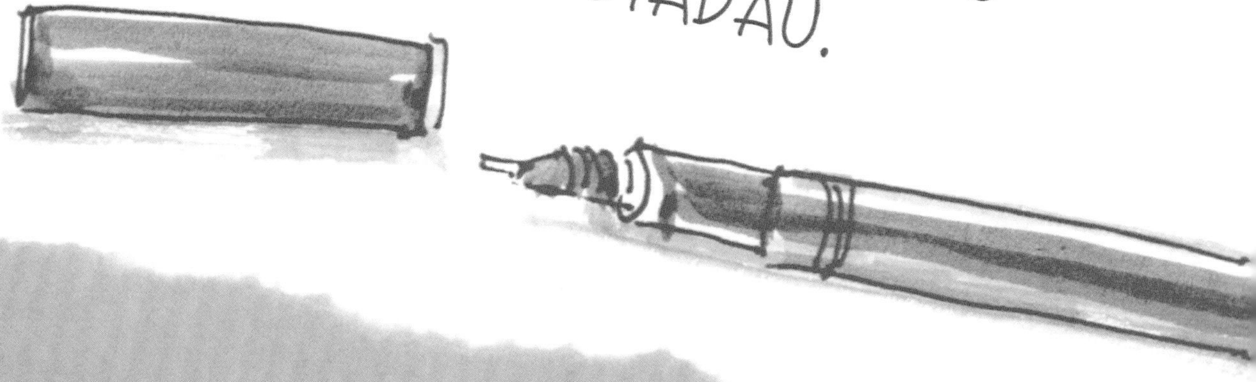

pen draw, bydd y llyfr yn
o'ch argraffiadau unigryw.
edrych drwyddo, byddwch
ld hen syniadau amwys
furf go iawn y gallwch
ygu, ei threfnu a'i newid.

BYDD Y D
YMA'N DO
FFYNHONN
SYNIADAU NE
SY'N GALLU
CYFFWRDD Â
MEYSYDD ERAILL
EICH BYWYD

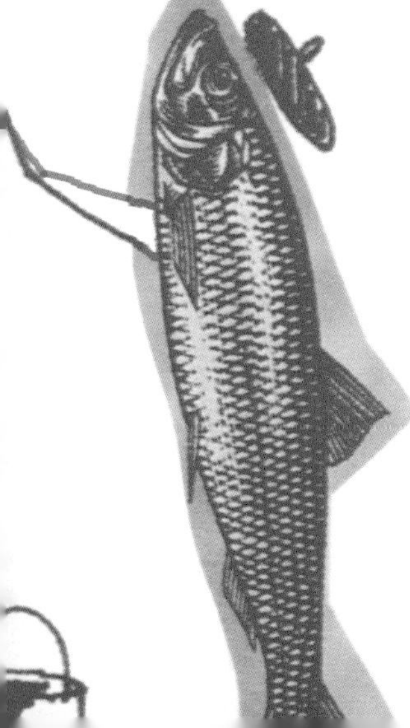

* mae rhai o'r dyfyniad
yn y llyfr yma
fy ll

2
MYND ATI

Pwrpas a nodweddion gweithgareddau

Dyma'r cwestiwn a fydd yn ysgogi fy ngwaith proffesiynol i bob amser: beth y galla i ei wneud i wella ansawdd bywyd rhywun â dementia. Biernacki C (2009)

Er bod amgylcheddau mwy cartrefol a gofal sy'n canolbwyntio ar yr unigolyn ar gael i bobl â dementia, unwaith maen nhw wedi'u gwisgo a'u bwydo, mae nifer helaeth o ganolfannau gofal yn dal i adael eu preswylwyr am gyfnodau hir heb ddim byd i'w wneud.

Un o nodweddion eironig ein cyfnod ni yw bod ein cymdeithas yn cymryd pobl oddi wrth bopeth sy'n eu cynnal nhw – eu cartrefi, eu cymdogaethau a'u rolau yn y teulu, ac yn eu cyfyngu i sefydliadau. Wedyn mae'n gorfod dyfeisio 'gweithgareddau' i lenwi'r holl wacter hwnnw.

Bydd hi'n amser hir cyn i'r systemau newid yn ddigonol i roi'r sylw gorau posibl i anghenion cymdeithasol, emosiynol ac ysbrydol pawb. Rydw i'n gobeithio y bydd y llyfr hwn yn rhoi ysbrydoliaeth i wneud rhywbeth yn y cyfamser.

Yn fy ngwaith fel artist mewn gofal iechyd, rydw i'n mynd o gwmpas ysbytai a chartrefi nyrsio yn cario bocs llawn offer celf ar gyfer tua deg math gwahanol o weithgareddau. Er ei bod hi'n bwysig sicrhau bod y gweithgaredd yn gweddu i bawb rydw i'n cyfarfod â nhw (rhywun sy'n gaeth i'r gwely, yn lled heini, yn blentyn, neu'n oedolyn, ac ati), rydw i wedi dod i ddeall mai ansawdd y cyswllt rhyngof fi a'r claf yw'r ffactor hanfodol, nid yr hyn y bydda i'n ei wneud. O'r berthynas hon y mae gwir ofal, cyfathrebu a gweithgaredd ystyrlon yn llifo. Mae bwriad cadarnhaol unigolyn yn gallu gwneud gwahaniaeth anferthol i fywyd rhywun â dementia.

Pwrpas gweithgaredd

Mae agwedd greadigol tuag at weithgareddau yn gwneud i ni amau nifer o'n rhagdybiaethau ni am yr hyn sy'n gwneud gweithgaredd da. Yr un pennaf yw mai prif bwrpas gweithgaredd yw 'cadw rhywun yn brysur'.

Rydw i wedi dod i ddeall bod gan weithgareddau sawl pwrpas posibl.

Er enghraifft, gall gweithgaredd fod yn fodd i:

- sefydlu cysylltiad a rhoi sylw
- mwynhau treulio amser gyda rhywun
- cryfhau hunaniaeth rhywun a'i chynnal
- ysgogi rhywun i ddefnyddio'i alluoedd a dysgu rhai newydd
- cynhyrchu teimlad o gartref a normalrwydd.

NODWEDDION GWEITHGAREDD DA

Gall bron unrhyw beth fod yn weithgaredd: rhwygo papur, teimlo gweadau, symud rhywbeth o'r naill le i'r llall, rhoi pethau mewn trefn arbennig, yfed te gyda'ch gilydd, mynd am dro, ac ati. Rydw i wedi darganfod bod gweithgareddau syml un i un yn llwyddiannus. Mae'n rhaid i'r gweithgaredd fod yn bleserus i'r ddwy ochr, ac yn ddi-feth. Rhaid iddo fod yn addas ar gyfer oedran, statws a rhyw, a dylai'r person ei ganfod yn ystyrlon neu'n ddefnyddiol.

Gydag unigolion mwy petrusgar, rydw i'n dueddol o ddechrau gyda gweithgaredd sy'n ennyn digon o ddiddordeb i'w hysgogi, ond nad yw'n gofyn iddyn nhw gymryd rhan ynddo ar unwaith. Rydw i'n dechrau'r broses, wedyn yn eu gwahodd i ymuno â mi neu i fy helpu i wrth i mi weithio.

Un i un

Mae tipyn go lew o wybodaeth ar gael am fanteision gweithgareddau grŵp mewn canolfannau gofal. Mae'n well gen i weithio un i un, yn enwedig ar brosiectau celf a chrefft, gan fy mod yn gallu canolbwyntio ar roi sylw personol i helpu i gyflawni'r dasg.

Detholiad o gerdd a gyfansoddwyd yn ystod Prosiect Llenyddiaeth er Iechyd a Lles Gwynedd 2017, yng nghartref Bryn Seiont, Caernarfon

Janet a'r Joi

Dwi'n cofio geiria'r hen emyna –
wel, rhai ohonynt wir…

A dwi'n cofio mynd â Joi bach weithia
i fyny'n llawes i helpu'r plant.
Joi heb bapur i Pencaerau
rhag gwneud twrw,
ac i dawelu'r plant.

Mynd â joi – jiw jiws a mints –
un meddal oedd jiw jiw.
A'r plant yn deud adnoda hir
er mwyn jiws jiws
ac imperial mints
ond heb ddim papur ar fy ngwir
rhag codi twrw mawr.

Janet
(Ionawr 2017)

Syml

Does dim rhaid i weithgareddau fod yn gymhleth nac yn ddrud i fod yn llwyddiannus. Un o fy ngweithgareddau symlaf i oedd llanw dysgl olchi llestri â dŵr sebon.
Rhoddais y ddysgl i bedair menyw wahanol a gwnaethon nhw i gyd rywbeth gwahanol â'r dŵr.

Menyw falch iawn o'i chartref oedd yr un gyntaf, ac fe fuom ni'n golchi a sychu llestri. Roedd yr ail yn hoffi teimlad y dŵr sebon cynnes, a gwnaeth synau hapus wrth iddi chwarae â fy nwylo o dan y dŵr. Roedd un am olchi dillad ei doli, a'i sbectol ddarllen. A chwaraeodd y bedwaredd â'r swigod a thylino fy nwylo wedyn.

Pleserus i'r ddau ohonoch

Dewiswch rywbeth mae gennych chi ddiddordeb ynddo – gemau, crefftau, twtio, darllen yn uchel. Beth sy'n teimlo'n naturiol i'w wneud yn eich perthynas â'r unigolyn? Os yw ei gyflwr yn golygu nad oes llawer o dir cyffredin rhyngoch, defnyddiwch eich creadigrwydd i addasu i'r sefyllfa newydd. Er enghraifft, roedd eich modryb yn arfer chwarae cardiau drwy'r amser, ond mae'n methu deall rheolau'r gemau nawr. Datblygwch gêm newydd fel Cofio, gan ddefnyddio pecyn arferol o gardiau. Neu adeiladwch bethau â'r cardiau, neu gwnewch bethau â nhw.

Amrywiad ar y gêm Cofio: os nad yw'r person yn gallu cofio safle'r cerdyn mae hi newydd ei droi drosodd, yn hytrach na throi'r cerdyn yn ôl a'i wyneb i lawr, gadewch y cerdyn nes ei bod hi'n dod o hyd i'r cerdyn cywir. Mae haneru'r pecyn yn gallu hwyluso'r gêm. Edrychwch hefyd ar *Gemau a chwarae* (t84) a *Graddio gweithgareddau* (t48).

Addas i statws, oedran a rhyw'r person

Gan fod iaith pobl â dementia, eu gallu i gyfathrebu a galluoedd eraill yn elfennol oherwydd eu diffyg sgiliau gwybyddol, mae rhai'n meddwl amdanyn nhw fel plant. Ond nid plant mohonyn nhw, yn bendant; maen nhw'n oedolion go iawn, ag oes o brofiad.

Rydw i'n cofio pan oedd fy nain mewn cartref nyrsio. Roedd hi'n fenyw ddiwylliedig iawn o Baris a oedd yn cyfansoddi cerddoriaeth ac yn chwarae'r piano hefyd. Roedden ni mewn parti pen-blwydd gyda hetiau gwirion, bwyd a cherddoriaeth: roedd hyn i gyd yn fwy addas i blant pump oed na'r oedolion amrywiol a oedd yn bresennol. Roedd grandmère heb gyfathrebu rhyw lawer, ond wrth iddi edrych i fyw fy llygaid, roedd ei theimladau'n amlwg – roedd y gweithgaredd hwn yn sarhad enfawr ar ei deallusrwydd a'i hurddas.

Nodweddion gweithgaredd da

1. Un i un
2. Syml
3. Pleserus i'r ddau ohonoch
4. Addas i statws, oed a rhyw y person
5. Ystyrlon/defnyddiol
6. Di-feth

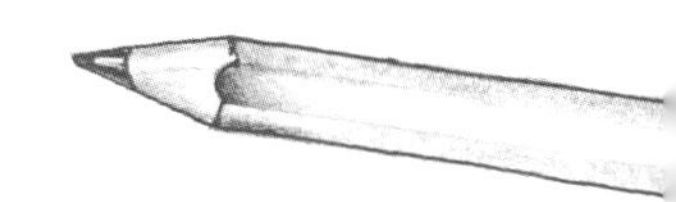

Gallwch seilio gweithgareddau ar swyddi blaenorol pobl, ond weithiau rhaid bod yn ofalus os ydyn nhw'n dangos rhwystredigaeth oherwydd colli sgiliau neu agweddau eraill ar waith blaenorol. Mae'r Ffolder swyddfa yn enghraifft o weithgaredd ar gyfer cyn-reolwyr swyddfa neu eraill sy'n hoffi trefnu papurau a thrafod offer swyddfa (t127).

Roedd Mrs van D yn drefnydd naturiol ac yn ceisio trefnu'r ffolder a'r papurau oedd gen i bob tro. Felly, fe wnes i ffolder iddi, yn cynnwys llawer o bapurau a deunyddiau y gallai hi eu darganfod, eu darllen a'u trefnu. Roedd yn cynnwys cardiau rhodd, tagiau enw, clipiau papur, taflen o samplau lliwiau paent, hen lythyr gan fy manc, a darnau o fy hen waith celf.

Ôl-nodyn i'r stori hon sy'n dangos byd dementia sydd weithiau'n anesboniadwy: ar ôl i mi adael y ffolder iddi a chael cipolwg bodlon arni'n ei defnyddio, fe ddes i mewn ar ddiwedd y dydd a gweld y ffolder ar y bwrdd. Pan agorais y ffolder, gwelais fod Mrs van D wedi ei defnyddio i guddio rhywbeth; yn berffaith yn y canol ar ochr dde'r ffolder, wedi'i gwasgu ychydig, roedd sleisen o ellygen.

Ystyrlon neu ddefnyddiol

Ar adegau, wrth gynnig gweithgaredd fel gwneud *collage*, roedd rhai yn fy ngrŵp yn credu nad oedden nhw'n gwneud rhywbeth defnyddiol. Pan nad yw'r broses o 'wneud rhywbeth' yn ddigon, ychwanegwch thema neu nod:

- *Collage* ar thema fel 'yr haf' neu 'brecwast'
- Cardiau cyfarch: gwnewch un ar gyfer tymor neu berson penodol
- Gwneud addurniadau: dangoswch i'r person ble y byddan nhw'n cael eu hongian neu eu gosod
- Cyflwynwch gerddi gorffenedig ar ffurf llyfr syml, neu rhowch nhw ar bapur lliw a'u hongian ar y wal (t132, 133)
- Os ydych chi newydd dacluso drôr edau, ewch i'r ystafell weithgareddau gyda'ch gilydd i edmygu'r canlyniad gorffenedig. Cyfeiriwch ato'n ddiweddarach; hyd yn oed os nad yw'r person yn cofio'r manylion, bydd yn gallu ail-brofi'r synnwyr o lwyddiant.

Mae di-feth yn golygu bod gwerth i bob gair, pob ystum, pob ymgais, a'u bod yn cyfrif ac yn cael eu gwerthfawrogi.

Dydw i ddim yn argymell gwneud tasgau diwerth. Rydw i wedi clywed am un cartref a oedd yn dod â sanau i'w paru â'i gilydd. Mae hynny'n iawn, ond cafodd y sanau eu cymryd oddi yno, a'u dychwelyd wedi'u cymysgu chwarter awr yn ddiweddarach – i'w gwneud unwaith eto!

Di-feth

Dydi 'di-feth' ddim yn golygu diddychymyg, fel tasg y sanau uchod. Mae'n golygu tasgau penagored heb ddatrysiad 'cywir' nac 'anghywir', bod gwerth i bob gair, pob ystum, pob ymgais, a'u bod yn cyfrif ac yn cael eu gwerthfawrogi.

Wrth osod nod o roi sylw i rywun, ei gefnogi ym mha sefyllfa bynnag y mae, a threulio amser gwerthfawr gyda'ch gilydd, mae methu'n amhosibl.

Roedden ni o amgylch bwrdd yn gwneud collage â phapur sidan. Crwydrodd preswylydd o adran arall i mewn a dechrau cymryd stribedi mawr o bapur lliw. Byddai'n dod yn ôl i mewn, yn sleifio at y bwrdd ac yn mynd ag un arall. Dechreuais adael darnau o bapur wedi'u rhwygo, wedi'u plygu ac wedi'u crychu, a darnau eraill o bapur a oedd wedi'u trin mewn ffordd ddiddorol, ac aeth â nhw fesul un drwy'r prynhawn.

Dull creadigol

Mae agwedd greadigol yn dechrau gyda chred ddidwyll a chadarn ym mhotensial unrhyw un i'w fynegi ei hun, waeth beth yw ei allu gwybyddol.
Ac mae'r dull hwn wrth graidd rhyngweithio llwyddiannus a gweithgareddau pleserus.

Drwy fy ngwaith mewn ysbytai a chartrefi nyrsio dros y blynyddoedd, rydw i wedi darganfod mai man cychwyn pob cyfarfyddiad creadigol, p'un a yw'n weithgaredd celf neu'n olchi rhywun, yw: parchu'r person, cefnogi ei annibyniaeth a dathlu hwnnw fel y mae.

Os nad yw'r agwedd hon wrth graidd cyfarfyddiad, ni fydd yr un o'r gweithgareddau rydw i wedi'u disgrifio yma yn ddim byd mwy na 'chadw rhywun yn brysur' yn arwynebol.

O'r meddwl i'r galon

Mae wedi'i ddweud fod dementia yn siwrnai o'r meddwl i'r galon, ac nid dim ond at yr un sydd â dementia mae'r sylw hwn wedi'i gyfeirio.
Drwy ddechrau'r ymarferion canlynol, rydw i'n credu y byddwch chi'n darganfod nad eich arbenigedd chi a fydd yn lleddfu anawsterau'r salwch cymhleth hwn, ond eich caredigrwydd a'ch dychymyg chi.
Rydw i'n gobeithio y bydd y llyfr hwn yn dod â llawer o oriau pleserus i chi a'ch perthynas neu'ch cleifion, yn gwneud gweithgareddau y bydd y ddau ohonoch yn eu mwynhau.

Cynnal eich diddordeb chi

Mae angen i ni weld yr un sydd â dementia fel un 'sy'n parhau' yn hytrach nag un sydd wedi darfod. Mae gan bob un gyfraniad unigryw a gwerthfawr i'w gynnig.
Killick, J, Allan K (2001)

Sut rydych chi'n cynnal diddordeb mewn gweithgareddau sy'n gallu ymddangos yn ddiystyr neu'n blentynnaidd?

Yn gyntaf, mae'n bwysig meddwl eto am amcanion gwneud gweithgareddau gyda phobl â dementia. Yn hytrach na'r ffyrdd bwriadol neu 'gynhyrchiol' arferol o gyflawni pethau, rydym ni'n anelu'n gyntaf at greu teimlad o normalrwydd a sicrwydd.

Er nad ydw i'n argymell cymharu pobl â dementia â phlant, yn yr achos hwn, mae ansawdd y sylw y mae'n rhaid ei gael i fod gyda pherson â nam gwybyddol yn debyg i'r hyn y mae ei angen ar fam yn ystod y blynyddoedd cynnar o fagu ei phlentyn. Y gwahaniaeth yw fod plant yn fuddsoddiad amlwg ar gyfer y dyfodol, ond mae pobl â dementia fel arfer yn cael eu hystyried yn ddim byd mwy na chyrff sy'n heneiddio, ag angen eu cynnal. Fodd bynnag, mae angen i ni herio'r farn gyffredin a dweud yn bendant ei bod hi'n bosibl ysgogi pobl â dementia i gadw eu galluoedd, yn ogystal â dysgu rhai newydd.

Rydw i wedi profi bod treulio amser gwerthfawr yn gallu cael effeithiau therapiwtig dwfn a pharhaol ar bobl â'r cyflwr hwn. Edrychwch ar y golofn ar ymyl tudalen 23 i weld rhai o'r manteision hyn.

★ Gwobrau

O'ch rhan chi, y gofalwr, mae'r gwobrau a gewch drwy ddysgu i weithredu gyda sylw tawel, amyneddgar ac effro, yn gynnil ond yn niferus:
Er enghraifft:

- Mae dysgu 'dim ond bod' yn dod â heddwch mewnol ac yn gallu lleihau straen.

- Mae gweithgareddau sy'n digwydd fel hyn yn creu cyfle i'r unigolyn roi i chi, ac i chi gael ganddo yntau.
- Mae'r amser y byddwch yn ei dreulio gydag ef yn newid o ddiflastod a dyletswydd i deimlad diffuant o fod yn rhan o rywbeth arbennig. Rydych chi'n gadael wedi'ch dadebru yn hytrach nag yn teimlo'n flinedig.
- Wrth weithio gyda phobl â nam gwybyddol, rydych chi'n ennill sgiliau newydd y gallwch eu cymhwyso i sefyllfaoedd eraill.
- Ac yn olaf, mae datblygu eich galluoedd creadigol eich hun yn cyfrannu at ddatblygu a chyfoethogi personol. Gallwch eu defnyddio mewn agweddau eraill ar eich bywyd.

Felly, y tro nesaf rydych chi wedi diflasu wrth ddim ond eistedd gyda rhywun, rhowch gynnig ar weld y profiad fel ymarfer myfyrio. Gadewch i'ch meddyliau gwasgaredig dawelu, derbyniwch y foment a'r sefyllfa a chytunwch i fod yn hollol bresennol. Teimlwch yn agored i gael ysbrydoliaeth o ble bynnag y daw.

Graddio gweithgareddau

Graddio gweithgaredd yw addasu'r gweithgaredd yn ôl gallu'r unigolyn. Mae hyn yn cael ei wneud i alluogi pawb i gyfrannu at weithgaredd a'i fwynhau, beth bynnag yw lefel eu gallu. (Mae awgrymiadau ar gyfer graddio gweithgareddau drwy'r llyfr hwn i gyd.)

Rydw i'n cofio'r tro cyntaf i mi fynd i mewn i ystafell deulu mewn uned i bobl â dementia datblygedig, yn cario pob math o ddeunyddiau crefft. Roedd y nyrsys yn edrych arna i yn gyfeillgar, ond yn amheus. Ac yn wir, i ddechrau, fe welais i fod gwneud blodyn papur syml y tu hwnt i allu llawer o breswylwyr.

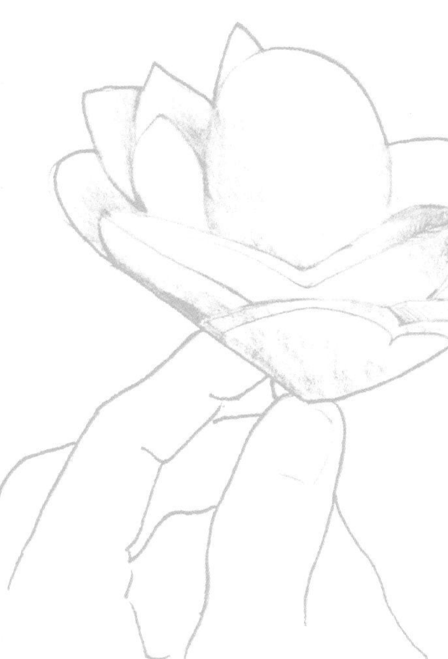

Fodd bynnag, wrth i mi ddychwelyd wythnos ar ôl wythnos gyda fy neunyddiau crefft, daeth pobl yn gyfarwydd â mi, ac wrth gael eu hannog, fe ddechreuon nhw roi cynnig ar bethau. Ac er mai dim ond canran fach o'r grŵp oedd yn gallu cwblhau prosiect, roedd pawb yn gallu cael eu denu i mewn ar ryw lefel ac yn teimlo'u bod nhw wedi cyfrannu rhywbeth.

Mae gan bawb ei ran

Mae'r rhestr ganlynol wedi'i haddasu o *Care that works* gan Jitka Zgola (1999).

Mae pobi bisgedi fel arfer yn weithgaredd grŵp sy'n digwydd yn yr ystafell deulu, ac mae pawb yn gallu gwneud rhywbeth. Mae'r rhestr isod yn dechrau gyda'r tasgau, y trefnu a'r cynllunio mwyaf cymhleth, ac yn addasu'r dasg gam wrth gam wrth i alluoedd gwybyddol leihau. Dylech ystyried fod galluoedd pobl yn gallu amrywio; efallai y bydd rhywun sy'n methu cyfrannu heddiw yn gallu cyfrannu yfory.

Pobi bisgedi

Mae rhywun â galluoedd gwybyddol cyflawn (fel arfer yng nghyfnod cynnar y cyflwr) yn gallu trefnu a gweithredu. Mae'n gallu penderfynu'r math o fisgedi, dewis rysáit, cynllunio, siopa a/neu bobi.

Trefnydd-gweithredwr annibynnol

Mae unigolion sy'n methu cynllunio na chymryd y cam cyntaf yn gallu gwneud y bisgedi ar ôl i rywun baratoi'r cynhwysion ar eu cyfer nhw.

Gweithredwr annibynnol

Mae rhywun sy'n methu gwneud y bisgedi ar ei ben ei hun yn gallu cwblhau'r dasg gyfan gyda chymorth/goruchwyliaeth.

Gweithredwr gyda goruchwyliaeth

Os nad yw'r person yn gallu cofio digon o ddilyniant i allu gwneud y dasg gyfan gyda goruchwyliaeth, mae'n gallu gwneud camau penodol, fel mesur, cymysgu, arllwys, neu ffurfio'r bisgedi, yn dibynnu ar ei allu a'i hoffter o'r dasg.

Gweithredwr tasg benodol

Os yw gwneud tasg benodol ar ei ben ei hun yn rhy anodd i'r unigolyn, mae'n gallu ailadrodd un cam bach, fel troi'r cymysgedd, gyda chymorth neu oruchwyliaeth.

Gweithredwr tasg wedi'i haddasu

Os nad yw ailadrodd y dasg gyda chymorth yn llwyddiannus, gall wrando a disgwyl i amserydd y ffwrn ganu, clirio darnau o does, cadw'r offer a helpu i olchi llestri.

Gwyliwr-monitro

Gyda phobl nad ydyn nhw'n dymuno cymryd rhan fel hyn, neu sy'n methu gwneud, holwch nhw am eu profiad neu eu harbenigedd, neu am eu hatgofion personol (hyd yn oed os nad ydyn nhw'n ymwneud â phobi).

Gwyliwr-cynghorwr

Bydd un neu ragor o unigolion bob amser sydd am eistedd yn dawel a gwylio; gallan nhw flasu'r bisgedi.

Gwyliwr-beirniad

Mae pobl nad ydyn nhw'n fodlon, neu sy'n methu cymryd rhan mewn unrhyw un o'r ffyrdd hyn, yn gallu gwylio neu wrando a theimlo'u bod nhw'n rhan o'r digwyddiad. Gallan nhw gyffwrdd â darn o does neu ei flasu, gallech ofyn am eu barn, neu gallen nhw gael gwybod beth sy'n digwydd wrth i chi ddweud, 'Iawn, edrychwch, Mrs B, rydw i'n mynd i ychwanegu'r darnau o siocled nawr'.

Gwyliwr

Ymarferion

Rhannwch un o'r gweithgareddau canlynol yn ôl y categorïau isod:

- *gwneud collage syml*
- *glanhau a thacluso bocs gwnïo*
- *glanhau a thacluso bocs offer.*

CATEGORÏAU

Trefnydd-gweithredwr annibynnol

Gweithredwr annibynnol

Gweithredwr gyda goruchwyliaeth

Gweithredwr tasg benodol

Gweithredwr tasg wedi'i haddasu

Gwyliwr-monitro

Gwyliwr-cynghorwr

Gwyliwr-beirniad

Gwyliwr

Meddwl yn greadigol
sut i gynhyrchu syniadau

Yng nghyflwyniad y llyfr hwn, soniais am elfennau dull creadigol, yn cynnwys cynnal agwedd agored a chanolbwyntio ar y broses yn hytrach nag ar y canlyniad gorffenedig.
Mae'r categorïau nesaf o weithgareddau yn eich gwahodd i ddefnyddio'r dull creadigol hwn i feddwl am weithgareddau penodol i'ch sefyllfa arbennig chi.
Mae'r holl gategorïau yn dechrau gyda chyflwyniad, ac adran ymarferion yn ei ddilyn.
Er enghraifft, mae'r categori *Gwneud rhywbeth ar gyfer/gyda* yn cyflwyno syniadau ar gyfer cymhwyso celf/crefft weledol fel ffordd o dreulio amser ystyrlon gyda rhywun. Yn adran ymarferion y categori hwn, rydych yn cael eich gwahodd i feddwl am bynciau ar gyfer themâu *collages*, gweithgareddau'n seiliedig ar ddiddordebau blaenorol preswyliwr, prosiect yn defnyddio llythrennau addurniadol, ac ati.

Meddyliwch am dri phwnc ar gyfer *collage* haniaethol i'w wneud gyda'ch gilydd (awgrym: pethau glas, sgwariau, cylchoedd).
1 Mosaig.
Golau > tywyll
2 Gwahanol liwiau gwyrdd
3

Felly sut y mae mynd ati i feddwl am sawl pwnc ar gyfer *collage* gan grŵp, er enghraifft? Egluro hyn yw bwriad y bennod hon.

Dechrau

Rydym ni i gyd yn gaeth i'n harferion: rydym ni'n dueddol o deithio'r un ffordd i'n gwaith bob dydd ac o brynu cynhyrchion cyfarwydd. Mewn gwirionedd, rydym ni'n gweithredu heb feddwl y rhan fwyaf o'r amser.
Yn ein bywydau cymhleth, mae hyn yn ein harbed ni rhag gorfod dysgu popeth o'r newydd bob eiliad. Ond pan ddaw'r ymateb yma'n arferol, rydym ni'n graddol golli ein sioncrwydd a'n chwilfrydedd: dwy nodwedd sy'n ofynnol ar gyfer meddwl yn greadigol.
Yn ystod sefyllfaoedd o argyfwng neu wrth i rywbeth annisgwyl ein hwynebu, mae ein rhagdybiaethau yn diflannu ac rydym ni'n dod yn hynod o effro.

Mae pobl yn disgrifio'r adegau hyn yn aml fel profiadau brig, pan maen nhw'n teimlo'n fwy byw ac yn hynod o greadigol yn eu hymatebion.
Fodd bynnag, i danio ein hymennydd creadigol, does dim angen argyfwng arnom ni. Gallwn ddod o hyd i ffyrdd eraill i dorri allan o'r meddylfryd 'Wedi gweld hyn – wedi gwneud hynny'.

Y ffordd gyntaf a symlaf yw dod yn ymwybodol o sut rydym ni'n defnyddio ein sylw, yna dysgu i'w gyfeirio mewn ffyrdd newydd. Mae angen rhoi min ar ein synhwyrau fel y gallwn edrych, clywed, arogli, teimlo a blasu'r byd o'n cwmpas ni fel pe byddem ni'n profi popeth am y tro cyntaf.

Unwaith mae eich synhwyrau chi'n agored i bob peth o'ch cwmpas, rydych chi'n dechrau sylwi ar bethau y byddech chi fel arfer yn eu methu.
Ac wrth i chi ddatblygu eich gallu i sylwi, bydd eich greddf yn datblygu hefyd.
Mae'r holl nodweddion hyn yn cyfrannu at eich gwneud chi'n ofalwr/cydymaith mwy creadigol ac ymatebol, oherwydd eich bod chi'n fwy effro ac yn fwy hyblyg mewn unrhyw sefyllfa.

Mae'r adran nesaf, *Offer ar gyfer meddwl yn greadigol* yn cynnwys ychydig o syniadau i'ch helpu chi i wella eich sylw, i arafu ac i ddefnyddio'ch dychymyg.

OFFER AR GYFER MEDDWL YN GREADIGOL

Mynd i mewn i'r hwyl greadigol

Sylwch

Arafwch, edrychwch o'ch cwmpas. Cymerwch amser i ffurfio argraffiadau synhwyraidd.

Mae'r daith yr un mor bwysig â'r gyrchfan

Gallwch gerdded o'r naill adeilad i'r llall ar wib, neu'n hamddenol i anadlu ac i fagu nerth newydd.

Cymerwch amser i ddarganfod beth sydd orau gennych chi

Meddyliwch am anwybyddu tueddiadau masnachol a dylanwadau allanol am ychydig, a chanolbwyntiwch ar eich diddordebau personol chi. Er enghraifft, ar wyliau, mae pawb yn ymateb i wlad newydd mewn ffordd unigryw. Profi'r traethau a'r bwyd sydd orau gan rai. Bydd eraill yn dod yn gyfarwydd â'r dirwedd drwy gerdded. Bydd rhai'n ymweld ag eglwysi hanesyddol ac amgueddfeydd, ac eraill yn crwydro drwy'r siopau yn chwilio am gofrodd neu rywbeth penodol. Beth y byddwch chi'n ei wneud?

Gwnewch rywbeth newydd yn rheolaidd

Newidiwch eich arferion yn fwriadol; dewiswch lyfr gan awdur nad ydych chi erioed wedi darllen ei waith, edrychwch ar waith artist anghyfarwydd, dewch i adnabod rhywun nad yw'n gyfarwydd i chi.

Dysgwch gysylltu pethau digyswllt

Ydych chi wedi dod o hyd i declyn diddorol yn eich garej? Gwnewch weithgaredd gyda hwn. Ydych chi wedi cyfarfod â rhywun newydd sydd â sgìl neu swydd anarferol? Rhowch wahoddiad iddo i'r cartref nyrsio i'w rhannu â'r preswylwyr.

Mae'r canlynol i gyd wrth law ac yn gallu bod yn ffynonellau toreithiog ar gyfer gweithgareddau:

Pecyn agored o gaws Wensleydale a photel laeth, Hostel Ieuenctid Holland Park, dydd Sul, Ebrill 25 2010

CHI EICH HUNAN

eich diwylliant, eich teulu, eich storïau, eich profiad, eich gwaith a'ch teithiau

LLEOEDD CYFAGOS

hanes, straeon, digwyddiadau lleol, nodweddion anarferol yn y dirwedd

DEUNYDDIAU/OFFER

pethau ail-law, hen bethau, cylchgronau wedi'u hailgylchu, ac ati

brasluniau o lyfr teithio

FFRINDIAU

dewch â rhywun sydd â swydd ddiddorol gyda chi a'i gyfweld, neu gadewch i storïwr, cerddor, bardd neu dylinwr corff rannu ei sgiliau

CATALOGAU

offer garddio, gwaith celf (defnyddiol i wneud *collages*), offer a pheiriannau, darnau ceir, dillad a dodrefn

Y FOMENT

awyrgylch, tymor, gwyliau, adeg y dydd, digwyddiadau lleol, digwyddiadau hanesyddol, pobl eraill

CYFARFODYDD/POBL

cyfarfyddiadau blaenorol, eu dillad, eu hwyl, geiriau, ystumiau

LLYFR SYNIADAU

UN FFORDD O GYNHYRCHU SYNIADAU YW CADW EICH ARGRAFFIADAU MEWN LLYFR NODIADAU.

CADWCH Y LLYFR WRTH LAW A NODWCH SYNIADAU A PHROFIADAU WRTH I CHI EU CAEL.

GALLWCH YCHWANEGU DYFYNIADAU, DELWEDDAU, AC ATI, DRWY EU TORRI NHW ALLAN A'U GLUDO NHW YN EICH LLYFR NODIADAU HEFYD.

HOFF BEN INC CALIGRAFFEG.

NID YW'N CYMRYD LLAWER O AMSER YCHWANEGOL.

Yn y pen draw, bydd y llyfr yn llawn o'ch argraffiadau unigryw. Wrth edrych drwyddo, byddwch yn gweld hen syniadau amwys mewn ffurf go iawn y gallwch ei hadolygu, ei threfnu a'i newid.

BYDD Y DEUNYDD YMA'N DOD YN FFYNHONNELL SYNIADAU NEWYDD SY'N GALLU CYFFWRDD Â MEYSYDD ERAILL EICH BYWYD

* mae rhai o'r dyfyniadau a'r brasluniau yn y llyfr yma wedi dod o fy llyfrau syniadau

GALLWCH DDEFNYDDIO EICH LLYFR NODIADAU I ROI CYNNIG AR BOB MATH O BETHAU GWAHANOL

GALLWCH GADW EICH LLYFR NODIADAU YN GYFRINACHOL NEU EI RANNU. Y NAILL FFORDD NEU'R LLALL, DYLECH CHI WYBOD:

mae llyfr nodiadau artistiaid a meddylwyr creadigol eraill fel arfer yn ddi-drefn

Does dim rhaid cael

PERFFEITHRWYDD

i fod yn greadigol, a gall hyd yn oed atal mynegiant!

digymell → (mynegiant)

OS YDYCH CHI'N DATBLYGU DIDDORDEB MEWN DULL MWY GWELEDOL

COFNODWCH EICH ARGRAFFIADAU DRWY FRASLUNIO A GWNEUD COLLAGE. **ARBROFWCH** GYDA DULLIAU GWAHANOL O LUNIO EICH GEIRIAU (NEU BWYSLEISIO). MAE RHAI I'W GWELD YMA.

DONDERDAG - THURSDAY - JEUDI 27

MAE CADW LLYFR SYNIADAU YN EFFEITHIOL AR GYFER MEDDWL CREADIGOL. GWEITHGAREDD SY'N CREU SYNIADAU – BYDD NAILL AI GWEITHIO NEU CHWARAE YN ANNOG Y LLIF CREADIGOL.

DECHREUWCH RYWLE!

Mae'r rhain i gyd yn weithgareddau ymennydd-de, yn bennaf: y rhesymegol. Fe allech chi wrthwynebu. Os yw llais beirniadol mewnol yn dweud bod eich darluniau'n wirion neu eich bod chi'n methu ysgrifennu, neu fod hyn oll yn wastraff amser, dywedwch wrtho am

FYND I GRAFU!

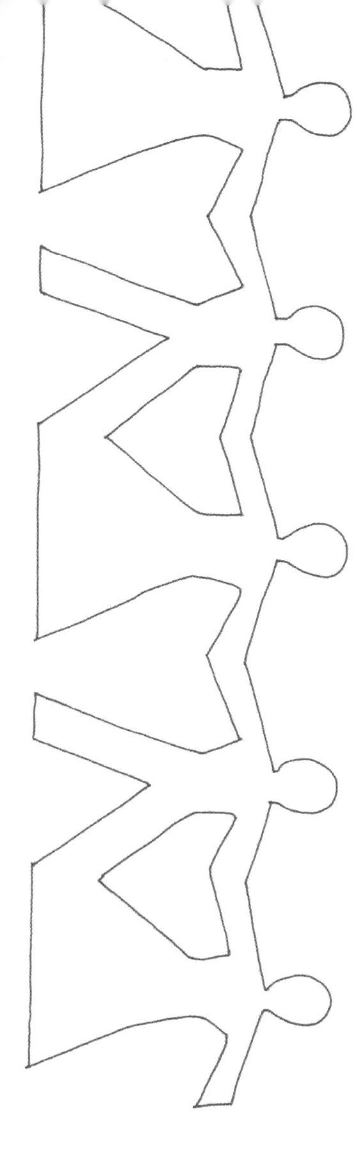

Rhagor o ffyrdd o greu syniadau

Dechreuwch gydag un syniad, fel gwneud doli bapur, er enghraifft. Meddyliwch am dri amrywiad. Yna, meddyliwch am ddeg arall.

Sut i greu rhagor o syniadau:

Amrywio

Gallech chi amrywio un neu ragor o elfennau; er enghraifft, ei beintio yn hytrach na'i liwio â phensiliau, gwneud *collage*s o'r dillad, a defnyddio deunyddiau gwahanol fel papur reis washi i greu gweadau dillad.

Ymchwil

Defnyddiwch ddeunyddiau cyfeirio i gael syniadau: gwisgoedd cenedlaethol o ddiwylliannau gwahanol, cymeriadau o lyfrau stori.
Ewch i amgueddfa neu oriel a chwiliwch am awgrymiadau ar gyfer safbwyntiau newydd.
Chwiliwch mewn siopau celf, siopau hobïau a siopau rhad am secwinau, gliter, rhubanau.

Newid safbwynt

Meddyliwch mewn ffordd wreiddiol:

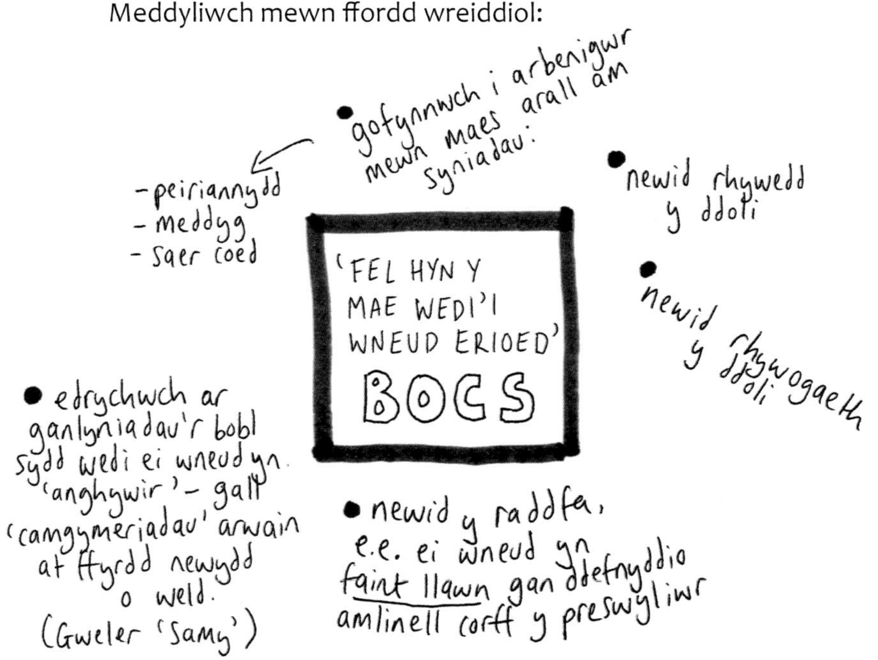

Wrth feddwl yn greadigol, rydych yn mentro heb geisio rheoli'r canlyniad.

Mae agwedd sy'n gofyn 'Beth petai?' fel arfer yn cyd-fynd â meddwl yn greadigol. Beth petawn i'n rhoi cynnig ar hwn neu'r llall? Beth fyddai'n digwydd?

Wrth feddwl yn greadigol, rhaid i chi dderbyn bod gwneud camgymeriadau yn rhan angenrheidiol o'r broses greadigol. Fel arfer, y camgymeriadau, y llanast, y 'methiannau', sy'n ein codi ni allan o'r hen ffordd o feddwl ac yn ein gorfodi ni i fynd i dir newydd.

Os byddwch chi'n dod yn gyfarwydd â gweithio a meddwl fel hyn, yn y pen draw, byddwch yn cysylltu ag argyhoeddiadau neu gwestiynau sy'n ystyrlon i chi. A byddwch yn dechrau creu meddyliau ac argraffiadau (gweledol) sy'n hollol ddilys. Mae'r rhan fwyaf o artistiaid yn meddwl fel hyn drwy'r amser, ac mae'n cyfoethogi bywyd pob dydd mewn ffyrdd annisgwyl.

Mae nifer ddiddiwedd o ffyrdd i ddatblygu eich gallu i feddwl yn greadigol; er enghraifft, trafod syniadau, delweddu a meddwl yn gysylltiadol. Mae hen ddigon o lyfrau a gwefannau ar gael ynglŷn â datblygu eich creadigrwydd. Byddwn i'n argymell *How to be an explorer of the world* (2008) neu *Wreck this journal* (2007) gan Keri Smith, i ddechrau. Edrychwch ar ddiwedd y llyfr yma am ragor o wybodaeth.

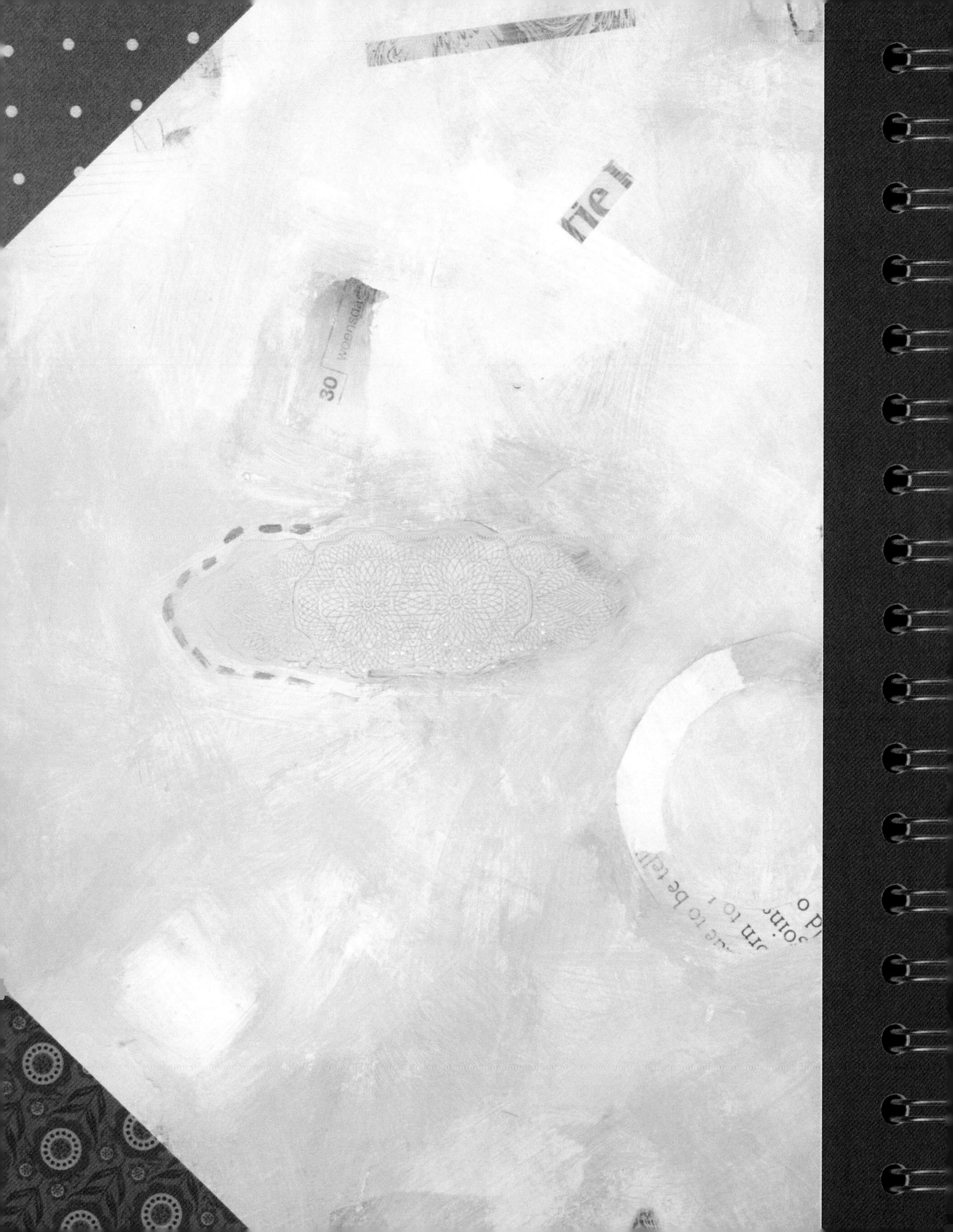

Hanfodion gweithgareddau

Weithiau, mae hi'n gallu bod yn anodd gwybod ble i ddechrau gyda chymaint o syniadau i ddewis o'u plith.
I'ch helpu i gyfyngu'r dewisiadau, rydw i wedi croesgyfeirio llawer o'r wybodaeth sydd yn y llyfr hwn i sawl canllaw cryno gwahanol; pob un a'i gategorïau, ei syniadau a'i wybodaeth ei hun. Edrychwch ar ddiwedd y llyfr am y rhestr *Canllawiau cryno* (t176).

Paratoi'r gweithgaredd

I ddewis gweithgaredd, bodiwch drwy'r llyfr, cyfeiriwch at y *Rhestr weithgareddau* (t180) neu defnyddiwch y *Canllawiau cryno* (t176). Dewiswch un gweithgaredd hawdd sy'n apelio atoch chi ac nad oes gormod o waith paratoi arno.
Darllenwch ddisgrifiad y gweithgaredd a dychmygwch eich bod yn ei wneud gyda'r un rydych chi'n meddwl amdano. Ysgrifennwch nodiadau, os hoffech chi.
Yna, meddyliwch am ychydig o gynlluniau wrth gefn (cynllun B) os nad yw'r person yn ddigon da neu heb fod yn yr hwyl i wneud y gweithgaredd yr adeg honno. (Edrychwch ar y map meddwl/siart, t63.)

Wrth gyrraedd

Cyflwynwch eich hun, cyfarchwch y person, aseswch y sefyllfa, a phenderfynwch a yw'r gweithgaredd yn un addas.
Os ydych wedi bwriadu nodi eu meddyliau yn ystod sgwrs, er enghraifft, dechreuwch sgwrsio. Arhoswch i weld i ba gyfeiriad yr aiff y sgwrs. Os nad oes ganddo ddiddordeb, efallai y byddai mynd am dro yn well, gan barhau â'r sgwrs wrth gerdded, neu defnyddiwch gynllun B.

Hyd

Mae'r gweithgaredd yn gallu para cyhyd â bod gan y person ddiddordeb a'i fod yn gwneud rhywbeth. Efallai y bydd angen i chi newid y gweithgaredd neu'r cyflymder sawl gwaith. Cofiwch, mae hyd yn oed ennyn diddordeb am bum munud yn llwyddiant, ac mae un foment o gyswllt call yn gallu newid diwrnod rhywun er gwell.

Ymadael

Ryw bum munud neu ddeg cyn bod angen i chi fynd, rhybuddiwch y person y byddwch chi'n gadael cyn bo hir. Gwnewch hyn sawl tro cyn i chi fynd. Dechreuwch orffen y gweithgaredd yn raddol, drwy ddechrau glanhau deunyddiau, os oes angen. Yna, datgysylltwch y person yn bwyllog o'r hyn y mae'n ei wneud, ac mor glir ond mor ddigynnwrf â phosibl, gadewch. Os yw'r person yn dal i fod wedi ymgolli yn y gweithgaredd, efallai y gallech chi ofyn i rywun arall gymryd eich lle.
Sylwch, fodd bynnag, fod y gweithgaredd 'yn digwydd yn y gwagle rhyngoch chi a'r person', Byers (1995), felly gall eich absenoldeb weithiau newid y gweithgaredd neu ei orffen.

Gwerthuso

Adolygwch sut y treulioch chi'r amser a pha fath o deimladau a gawsoch chi'ch dau. Nodwch hefyd unrhyw bwyntiau a oedd yn llwyddiannus a'r rhai oedd yn aflwyddiannus.
Er enghraifft:
Gwneud blodyn papur – roedd gan y person ddiddordeb yn lliw'r papur sidan, ond nid mewn unrhyw weithgaredd ymarferol. Felly, efallai fod edrych ar luniau mewn cylchgronau a thrafod lliwiau, neu wneud *collage* yn seiliedig ar thema lliw yn weithgaredd mwy 'llwyddiannus'. Neu, os nad yw'r person yn gallu cymryd rhan, gwnewch dusw o flodau papur iddo – ewch â blodyn neu ddau iddo bob tro rydych chi'n ymweld ag ef.

Mae'r siart ar y dde yn awgrymu dewisiadau Cynllun B ar gyfer gweithgaredd.

Cynllun gwreiddiol 

GWEITHGAREDD CREFFT
GWNEUD ADDURN BWRDD

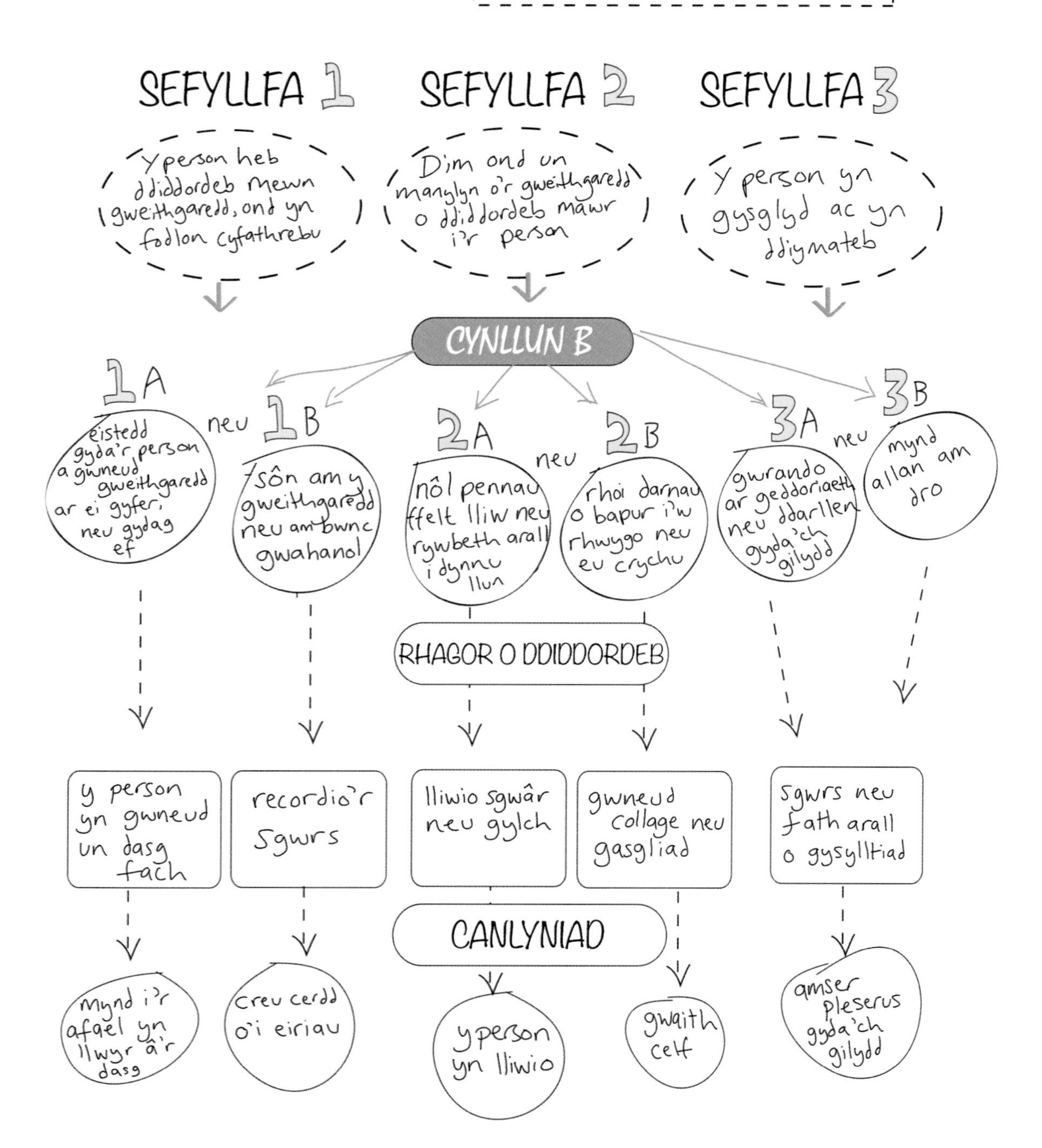

Deunyddiau ac offer

Mae nifer o weithgareddau celf weledol yn yr adrannau *Creu eich gweithgareddau eich hun* a'r *Llawlyfr 100 o weithgareddau*. Rydw i wedi ceisio cadw gofynion yr offer a'r deunyddiau mor syml â phosibl, fel y gallwch wneud y prosiectau heb orfod cael gafael ar ddeunyddiau arbenigol. Gyda phensil, papur, glud a siswrn, gallwch wneud nifer o'r prosiectau yn y llyfr hwn. Sylwch: mae'r g (gramau) yn cyfeirio at drwch y papur, nid ei ansawdd. Papur gwyn cyffredin yw papur 80g, mae papur 160g yn fwy trwchus.

Dyma awgrym ar gyfer **offer crefftau sylfaenol**, naill ai i'w cadw yn y cartref neu i chi ddod â nhw gyda chi:

- 2 neu 3 phensil
- Siswrn
- Ffon lud
- Papur – lliw a gwyn, pwysau ysgafn a phwysau cerdyn
- Papurau origami
- Ychydig o bennau ffelt lliw neu bensiliau lliw

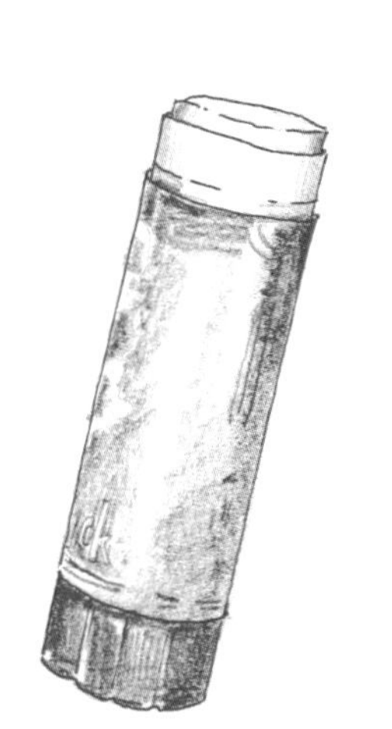

Rydw i'n cadw fy offer sylfaenol mewn bag mawr tryloyw sydd i fod i ddal colur.

Dyma **offer/deunyddiau ychwanegol** sy'n gallu bod yn ddefnyddiol i'w cael wrth law:

- Mynawyd (*awl*) – i wneud tyllau mewn papurau a chardbord. Gallwch ddefnyddio pin T neu bwynt dart i wneud hyn hefyd.
- Gwifren denau i wneud blodau papur
- Gwifren drwchus i wneud symudyn (*mobile*)
- Rhubanau amrywiol
- Papur sidan lliw i wneud blodau a *collages*
- Cwmpawd
- Cortyn neu linyn crefft plastig

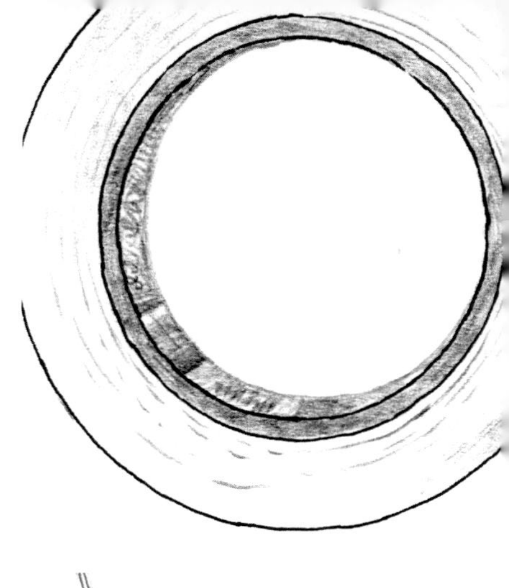

Tâp masgio
Edau frodio
Detholiad o gardiau lliw A4 160g
Detholiad o ddarnau papur lliw A4 80g
Papur hunanadlynol (*self-adhesive*) deniadol – lliw arian, lliw sgleiniog neu â gliter
Pennau ffelt llydan i ysgrifennu ar ffenestri neu fwrdd gwyn
Pennau ffelt mawr i dynnu llun

Deunyddiau **rhad/am ddim** i'w casglu:

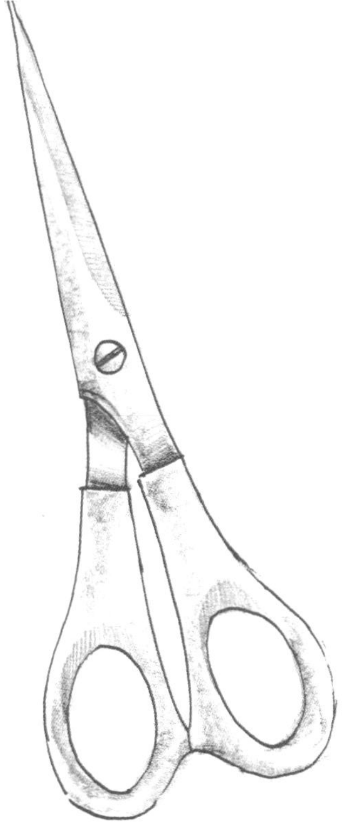

Darnau o ffabrig
Hen gylchgronau ar gyfer *collage*s
Caeadau jariau i dynnu llun cylchoedd o'u hamgylch
Blodau a dail sych wedi'u cywasgu ar gyfer *collage*s a symudion
Gleiniau pren neu wydr mawr o hen emwaith
Plastig fflat, anhyblyg a chlir (deunydd pacio)
Hen focsys cardbord i'w torri a'u defnyddio fel patrymau
Hen bapur lapio a rhubanau ar gyfer *collage*s
Hen bapur wal a llyfrau samplau paent ar gyfer *collage*s
Hen CDs ar gyfer symudion – yn ddeniadol yn y golau
Capiau poteli plastig a chylchoedd agor tuniau ar gyfer y cortyn cyffwrdd ar dudalen 114
Tiwbiau cardbord postio

Awgrymiadau:
I wneud bwrdd gwyn unigol – ewch i siop deunyddiau argraffu i lamineiddio dalen wen A4 (8 ½" x 11") 160g â phlastig trwchus. Prynwch farciwr bwrdd gwyn, ac mae gennych chi fwrdd gwyn bach mae pobl yn gallu tynnu llun arno. Gallwch ddileu'r llun yn hawdd gyda chlwtyn meddal. Os hoffech chi gadw'r llun, gwnewch lungopi ohono.

Mae prosiect sy'n defnyddio bwrdd gwyn ar dudalen 149.

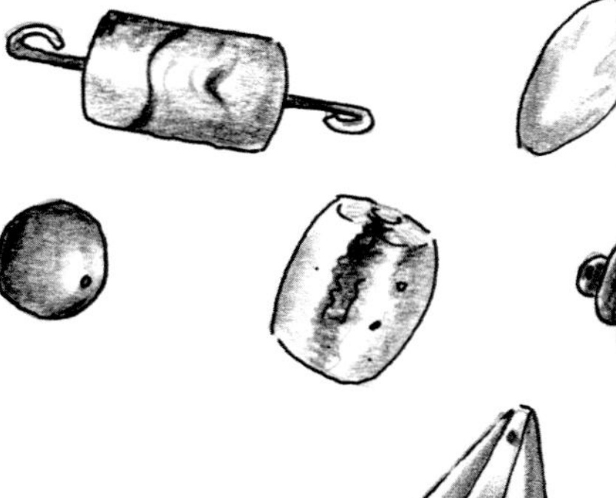

AR LAN Y MÔR
MAE RHOSYS COCHION.
AR LAN Y MOR
MAE LILIS GWYNION.
AR LAN Y MÔR
MAE NGHARIAD INNE
YN CYSGU'R NOS
A CHODI'R BORE.

3

CREU EICH GWEITHGAREDDAU EICH HUN

Cyflwyniad i'r adran weithgareddau

Mae'r adran ganlynol wedi'i rhannu yn ddeg pennod, pob un â'i thema; er enghraifft, *Eu stori nhw, eu hanes nhw*; *Gemau a chwarae*; *Coginio, bwyd a bwyta*, ac ati.

Gan mai pwrpas y llyfr hwn yw eich annog chi i ddyfeisio syniadau sy'n seiliedig ar eich sefyllfa unigryw chi, does dim rhestrau o weithgareddau yn y penodau. Yn hytrach, mae'n rhoi cyflwyniad byr i'r gweithgaredd ac adran ymarferion i'ch annog chi i feddwl am weithgareddau ar gyfer y categori penodol hwn.

Yr ymarferion hyn yw calon y llyfr hwn, ac i gael y budd mwyaf ohono, rydw i'n eich annog chi i gwblhau ychydig o bob rhestr, o leiaf. Gall pwyntiau o'r rhestr ysbrydoli eich syniadau chi eich hun; nodwch y rhain ar bapur hefyd.

Awgrymiadau ar gyfer gwneud yr ymarferion

Mae **sesiwn syniadau** yn ffordd agored o feddwl sy'n ystyried ac yn cydnabod pob syniad, waeth pa mor anhygoel yw'r syniad hwnnw. Bwriad sesiwn syniadau yw cynhyrchu nifer fawr o syniadau mewn cyfnod byr. Ysgrifennwch yr hyn sy'n dod i'ch meddwl yn gyflym, heb ei farnu.
Gofalwch fod gennych ddigon o bapur sgrap wrth law ar gyfer hyn; gallwch ddewis y syniadau gorau yn ddiweddarach.
Mae gweithio gyda dau neu ragor o bobl yn creu tir ffrwythlon i gynhyrchu syniadau.

Dewiswch y pwnc a'i osod yn glir; er enghraifft, 'Sut y mae newid adegau bwyta i'w gwneud yn fwy pleserus i'r preswylwyr?'

Canllawiau sesiynau syniadau

Taflwch bopeth y gallwch chi feddwl amdano 'ar y bwrdd', heb farnu. Yn ddiweddarach, mae modd asesu syniadau ar gyfer ymarferoldeb, ond yn y dechrau, po fwyaf gwallgof yw'r syniad, mwyaf tebygol yw y bydd yn arwain at syniad hynod o greadigol a gwahanol.

Enghraifft o restr syniadau ar gyfer y pwnc:
Sut y mae newid adegau bwyta i'w gwneud yn fwy pleserus i'r preswylwyr?

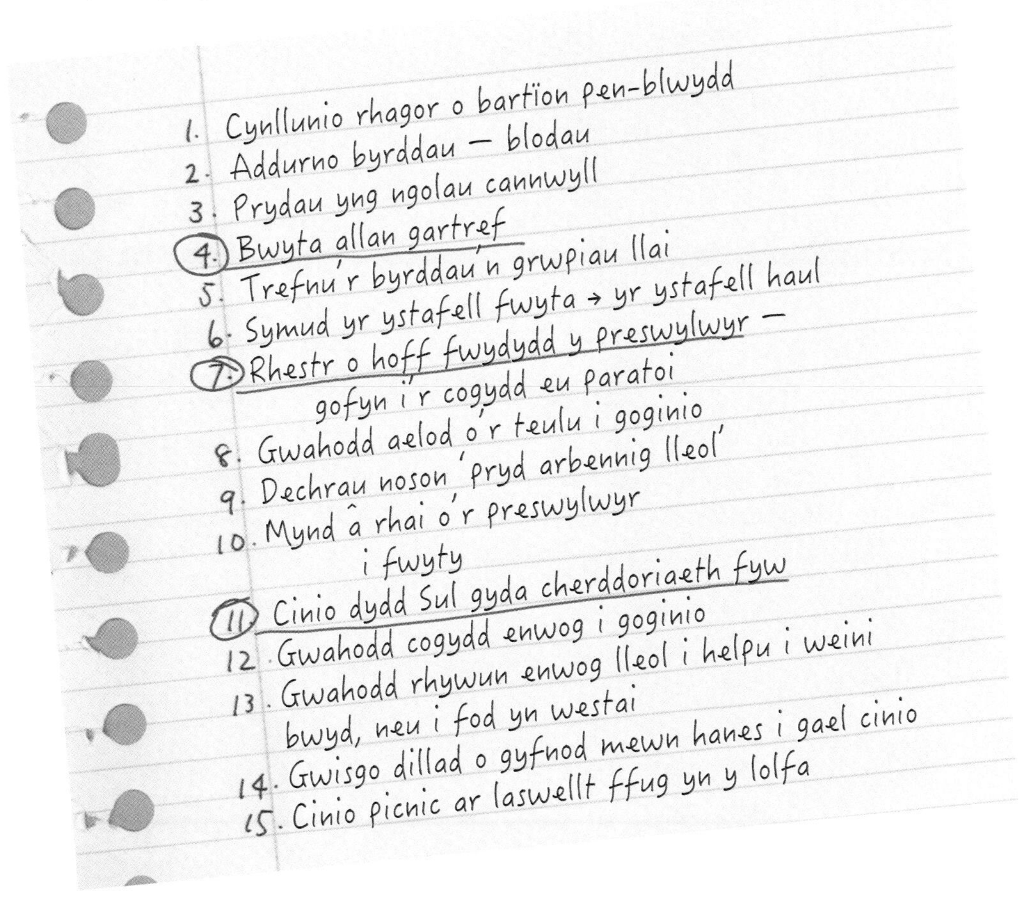

Dewiswch restr fer o'r syniadau gorau y mae'n bosibl eu gweithredu. Rhannwch y rhestr eto yn syniadau 'hir dymor' neu 'byr dymor'. Os ydych chi'n gweithio gyda grŵp, dewiswch pwy sy'n gwneud beth, a phryd.

Creu ymdeimlad o gartref

Ni fyddai dim yn waeth i mi na chael fy nadwreiddio yn erbyn fy ewyllys o ddiogelwch a sicrwydd fy nghartref, a chael fy ngosod mewn amgylchedd unffurf: heb bethau cyfarwydd o fy nghwmpas, yn methu bod yn fy stiwdio nac eistedd yn breuddwydio yn yr haul.

Beth fyddech chi'n ei golli fwyaf petai'n rhaid i chi adael eich cartref chi am byth?
Meddyliwch am y canlynol: rydych chi newydd ddod adref ar ôl aros gyda ffrindiau am benwythnos, yn byw yn ôl eu trefn ddyddiol nhw. Beth yw'r peth cyntaf y byddwch chi'n ei wneud pan fyddwch yn ôl yn eich cartref chi?
A beth roeddech chi'n gweld ei eisiau fwyaf? Y cwpanaid cyntaf o goffi, mewn tawelwch ar ddechrau diwrnod? Eich priod neu'ch plant, eich anifeiliaid anwes neu'ch gardd?

I bobl mewn sefydliad, yn arbennig, mae'r colledion bach hyn yn gwneud un golled enfawr. Mae angen ymdrin â hon drwy roi sylw o ansawdd sy'n gallu adfer ymdeimlad o gartref, diogelwch ac ystyr.

Bydd gofalwr sy'n ymwybodol o'r colledion sy'n digwydd wrth gael eich alltudio o gartref, teulu a chymuned, yn chwilio am ffyrdd i wneud iawn am hyn. Mae'r pethau symlaf yn gallu gwneud i rywun deimlo'i fod yn cael y gofal gorau posibl. Rydw i'n gwybod, oherwydd cyfnodau o salwch neu straen, fod presenoldeb un math o berson yn gallu gwneud byd o wahaniaeth rhwng teimlo'n unig a theimlo'n gyfan a bod gennych gysylltiad â rhywun.

Dyma restr o rai o'r colledion y gallech eu profi drwy orfod symud o'ch cartref a chael eich rhoi mewn sefydliad preswyl:

- Rolau a statws yn y teulu a'r cartref (darparwr, mam, cogydd, trefnydd)
- Rolau yn y gymdogaeth (aelod pwyllgor, cymydog, gwarchodwr plant, cadeirydd y clwb)
- Rolau gweithio
- Annibyniaeth
- Preifatrwydd
- Agosatrwydd
- Rhyw
- Anifeiliaid anwes
- Gardd
- Diddordebau
- Bod ar eich pen eich hun
- Cwmnïaeth
- Digwyddiadau a theithiau'r teulu.

Meddyliwch sut y gallech chi helpu preswyliwr i ail-greu'r ymdeimlad o gartref. A yw hi'n bosibl cadw at ei amserlen ef yn hytrach nag amserlen y sefydliad? Er enghraifft, gweler *Pryd mae brecwast? Pryd bynnag sy'n gyfleus i chi!* (t77)
Mae cynnwys person mewn tasgau fel paratoi bwyd, cwyro dodrefn, neu ofalu am blanhigion, yn gallu adfer ymdeimlad o ystyr a phwrpas.

Mae un meddyg mewn cartref gofal yn annog teulu a ffrindiau'r preswyliwr i barhau i wneud gweithgareddau arferol, gan symud y rhain i'r cartref pan mae'n bosibl.
Er enghraifft, roedd clwb *bridge* un preswyliwr yn parhau i gyfarfod bob wythnos, ond yn lolfa'r cartref. Doedd y preswyliwr ddim yn gallu chwarae'r gêm mwyach, ond roedd yn dal i fod yn rhan o'r digwyddiad cymdeithasol cynnes, y byrbrydau, yr hwyl a'r cyfeillgarwch.

Ymarferion

1 Pa newidiadau hawdd a fyddai'n creu ymdeimlad o gartref yn yr ystafell? (Awgrym: sgrin neu len ar draws ystafell i roi preifatrwydd mewn ystafelloedd sy'n cael eu rhannu.)

2 Mae dwyn yn broblem gyffredin mewn cartrefi nyrsio, yn ogystal â phreswylwyr eraill yn crwydro ac yn cymryd eiddo personol. Meddyliwch am dair ffordd o sicrhau y gall preswylwyr gael eitemau cyfarwydd o'u cwmpas, hyd yn oed mewn cartref. (Awgrym: rhoi pethau hawdd eu cymryd yn sownd wrth waliau a byrddau.)

3 Creu 'diwrnod heb' ar gyfer preswyliwr. Efallai ei fod am aros yn ei ddillad nos neu yn ei ddillad hamdden. Efallai yr hoffai aros yn ei wely drwy'r bore. Efallai yr hoffai fynd heb sanau neu esgidiau tyn. Pa bethau eraill y gallai ddewis peidio â'u gwneud?

4 Gofynnwch i breswyliwr beth mae'n gweld ei eisiau fwyaf, prociwch ei gof gyda lluniau, siaradwch am y pwnc, a chwiliwch am ffyrdd i fynd i'r afael â'r angen hwn. (Awgrym: dewch ag anifail anwes iddo, dewch â phlant i'w weld, ewch ag ef allan yn amlach.)

5 Meddyliwch am bum ffordd i wella ymdeimlad y preswyliwr o breifatrwydd. (Awgrym: curwch ar ddrws ei ystafell wely cyn mynd i mewn iddi. Bob tro.)

6 Ydych chi'n synhwyro bod rhywun yn gweld eisiau agosatrwydd? Os yw natur hyn yn rhywiol, a yw hi'n bosibl i chi drefnu iddo fod ar ei ben ei hun gyda'i bartner rywle oddi wrth y cartref?
Os yw'r person yn gweld eisiau anwyldeb, mae'n hawdd ei anwesu, cyffwrdd ag ef a gwneud iddo chwerthin.
Rhestrwch dair ffordd o greu rhagor o gyfleoedd i fod yn agos.
(Awgrym: bath swigod moethus neu dylino'r corff.)

7 Sut y gallwch chi wneud iddo fod yn fwy annibynnol? Er enghraifft, a allai fod yn gyfrifol am gadw trefn ar gyflenwadau, neu ateb ffôn? A allai helpu rhywun arall, neu ddweud wrth weithiwr os yw rhywun yn cyrraedd neu'n gadael? A allai gael rhagor o ddewis o ran cerddoriaeth, rhaglenni teledu, gweithgareddau neu fwydlenni?

Adegau arbennig pob dydd

Drwy gymryd pobl o'u cartrefi a'u cymdogaethau a'u rhoi mewn gofal sefydliadol, mae ein cymdeithas yn cymryd oddi arnyn nhw y rolau arferol, y defodau dyddiol a'r strwythur sy'n rhoi ystyr i'w diwrnodau; yn eironig, mae hyn yn arwain at yr angen i drefnu 'gweithgareddau' i lenwi'r amser gwag hwnnw.

Er bod ymweliadau arbennig, perfformiadau yn y cartref a digwyddiadau hwyliog eraill yn bleserus, does dim angen gwneud y fath ymdrech i greu gweithgaredd ystyrlon i rywun.

Mae gofalwyr, yn enwedig, yn gallu ychwanegu'n sylweddol at ansawdd bywyd pob preswyliwr drwy roi eu sylw i gyd iddo a bod yn effro i'w anghenion.

Drwy roi'ch sylw yn llwyr i'ch tasgau, a thrwy ddefnyddio eich adnoddau creadigol eich hun, mae trefn gofal dyddiol yn gallu dod yn ffynhonnell wirioneddol o bleser i'r naill ac i'r llall.

Er enghraifft:
Mae gofalwraig yn gwybod ei bod yn rhaid iddi wisgo saith claf erbyn 10 o'r gloch y bore.
Mae hi'n cyfarch pawb, yn synhwyro eu hwyliau a'u hanghenion, yn gofyn iddyn nhw sut noson gawson nhw, yn sôn wrthyn nhw am ei phlant yn deffro'n gynnar y bore yma. Mae hi'n cymryd dau funud ychwanegol i rwbio hufen dwylo ar ddwylo Mrs C, ac mae ei phresenoldeb tawel yn creu cylch o sylw cynnes. Mae hi'n edrych i fyw llygaid Mrs C ac mae'r hen fenyw'n estyn ei llaw, yn cyffwrdd â boch y nyrs, ac yn dweud 'Da iawn ti'.
Mae'r gofalwr yn profi eiliadau tebyg gyda chleifion eraill, heb ddod ar draws fawr ddim ymddygiad 'anodd', ac mae'n llwyddo

i gwblhau tasgau'r bore erbyn tua 10 o'r gloch. Mae hi'n teimlo'n fodlon iawn. Yr amser ychwanegol a dreuliwyd: tri neu bedwar munud, efallai.

Rydw i'n gwybod bod pob gofalwr yn delio â thasgau amhleserus ac ymddygiad anodd, ond yn aml iawn, mae'r egni mewn cyfarfyddiad yn dylanwadu ar sut y bydd yn datblygu, a pho leiaf o straen, gorau oll.

Mae gwneud eiliadau cyffredin yn arbennig yn rhywbeth creadigol. Mae'n ffordd o fod yn rhan o fywyd, a rhyngweithio â bywyd, sy'n gallu rhoi teimlad newydd iddo dro ar ôl tro. Gallwch ddefnyddio agwedd fywiog, chwareus drwy'r amser, nid dim ond yn ystod oriau gwaith. Bydd agwedd o'r fath yn agor pob math o bosibiliadau i'ch mynegi eich hun, gan ofalu mwy am y byd a'r bobl o'ch cwmpas ar yr un pryd. Mae'r ffiniau rhwng pethau'n dod yn fwy annelwig: rydych chi'n casglu blodau ar eich ffordd i'ch gwaith i'w rhoi i breswyliwr penodol, neu'n prynu hen ddoli fach mewn marchnad i fenyw benodol sydd o dan eich gofal chi.

Beth fyddai'n digwydd petaech chi'n dod â'ch creadigrwydd i'ch gwaith pob dydd? Dyma rai ymarferion i wneud i chi feddwl fel hyn. Yr elfennau allweddol yma yw 'syml' a 'rhad'.

Ymarferion

1. Rhestrwch dair ffordd syml o addurno hambwrdd brecwast neu fwrdd cinio.
2. Meddyliwch am dair ffordd o wneud sesiwn goluro neu eillio'n fwy arbennig.
3. Am beth y gallech chi sôn wrth wisgo rhywun? (Awgrym: hoff liwiau, gwisgoedd ar gyfer swyddi gwahanol.)
4. Meddyliwch am dair ffordd o ddefnyddio olewau aromatherapi i wella diwrnod rhywun.
5. Sut y gallech chi ddefnyddio cerddoriaeth i wella tasgau dyddiol?
6. Meddyliwch am dair ffordd o gwblhau un o'ch tasgau mwyaf diflas mewn ffordd wahanol. (Awgrym: llenwch botel chwistrell â dŵr ac ychwanegwch ambell ddiferyn o olew rhosyn neu unrhyw olew hanfodol arall – mae hyn yn gwella arogl ystafell yn naturiol.)
7. Dewch â natur yn nes drwy arddio dan do, mynd am dro neu roi blodau yn yr ystafell.

Coginio, bwyd a bwyta

Doedd Mrs M ddim yn teimlo'n dda, a dywedodd y staff wrthyf i ei bod hi'n gwrthod bwyd a hylifau ers sawl diwrnod. Roedd y staff wedi symud ei gwely hi i'r ystafell deulu er mwyn iddi gael rhyw fath o gwmni. Y prynhawn hwnnw, roedd y cyfarwyddwr hamdden yn paratoi tarten afal. Roedd pawb o gwmpas y bwrdd yn blasu'r sleisys afal ac yn helpu i wasgu'r toes. Wrth gymryd darn o afal, fe ges i ysbrydoliaeth. Es i draw at Mrs M a dweud, 'Dyma'r afal mwyaf blasus erioed, (roedd hynny'n wir), mae mor hyfryd a ffres, yn llawn heulwen, fel y mae tu allan. Rydw i'n gwybod y byddwch chi'n ei hoffi – blaswch ddarn bach ohono.' Roedd fel petai ganddi ddiddordeb, ond heb fynegi dim, felly fe rois i ddarn bach wrth ei gwefus isaf i weld a fyddai hi'n ei flasu. Agorodd ei cheg a dechrau ei fwyta.
Fe wnes i fwyta darn hefyd, a rhoi un arall iddi hi. Diflannodd hwnnw, yn ogystal â dau arall. Pan adewais i wedyn, roedd hi'n eistedd i fyny, gyda lliw yn ei bochau.

Nod yr holl syniadau yn y llyfr hwn yw rhoi bywyd mor normal ag sy'n bosibl i'r un sydd â dementia, mewn cartref neu mewn sefydliad. Dyna pam, yn yr enghraifft uchod, y mae'n bwysig nodi y cafodd y bwyd ei rannu fel gweithred ar y cyd, yn hytrach na'i 'fwydo' fel ffurf ar gynhaliaeth gorfforol.
Efallai nad yw gofalwr yn gallu rhannu prydau, ond mae'n bosibl gwneud llawer i alluogi pawb i rannu'r profiad a chael daioni ohono.

Mewn un cartref, roedd y cyfleusterau bwyta yn gilfachau bach, â lle i hyd at chwech o bobl eistedd wrth y bwrdd. Roedd hyn yn teimlo'n llawer mwy fel 'bwyty' na sefydliad. Roedd llieiniau bwrdd lliwgar, lloriau â charpedi, golau wedi'i hidlo drwy lenni a phlanhigion gwyrdd, yn creu awyrgylch ar gyfer profiad pleserus a hamddenol.

Newidiodd cartref nyrsio arall ei batrwm gweithredu'n llwyr er mwyn teilwra prydau i anghenion y preswylwyr, yn hytrach na'u gorfodi i fwyta yn ôl trefn y sefydliad.

Pryd mae brecwast? Pryd bynnag sy'n gyfleus i chi!
Mewn seminar ynglŷn ag athroniaeth cartref nyrsio bach, cytunodd y staff i gofleidio'r syniad o amgylchedd sy'n canolbwyntio ar bobl yn hytrach nag ar dasgau. Fodd bynnag, roedden nhw'n bryderus nad oedd y gwerthoedd hyn yn cael eu mynegi yn nhrefn ddyddiol y cartref.
Roedd un nyrs benodol yn meddwl tybed pam roedd yn rhaid deffro preswylwyr yn gynnar i gael brecwast – un o'r pethau mae pobl yn edrych ymlaen ato fwyaf wrth ymddeol yw'r rhyddid i godi a chael brecwast pryd bynnag maen nhw'n dymuno.
Roedd y staff yn benderfynol o greu'r math hwn o ddewis i'r preswylwyr. Roedd hyn yn gofyn am symud oddi wrth drefn sefydliadol at drefn a oedd yn canolbwyntio ar bobl. Roedd y newid yn gofyn am gydweithredu helaeth a chynllunio rhwng adrannau, ond roedd y canlyniadau'n gadarnhaol iawn.
O ganlyniad i gynnig brecwast pan oedd y preswylwyr yn codi, yn hytrach na'r preswylwyr yn codi i gael brecwast ar adeg benodol, roedd y staff o dan lai o bwysau, roedd y preswylwyr wedi ymlacio mwy, ac roedd arogl cartrefol coffi a thost yn y cartref yn y bore. Bonws ychwanegol a oedd yn fuddiol i'r drefn oedd y rhyddid o beidio â gorfod cynllunio gweithgareddau ar gyfer y bore, gan fod brecwast yn weithgaredd ynddo'i hun.
Mae'r prosiect yn barhaol erbyn hyn. Zgola (1999)

Rhaid bwyta i fyw. Ond mae'n bwysig yn gymdeithasol hefyd. Yn ystod prydau bwyd rydym ni'n ymgynnull gyda'n hanwyliaid i sôn am ein diwrnod. Mae prydau'n rhoi trefn i fywyd dyddiol; maen nhw'n gallu bod yn ddathliadau. Gydag ychydig o greadigrwydd, mae pryd bwyd yn gallu bod yn brofiad gwirioneddol foddhaol i bawb.

I agor y ffordd at y fath newid creadigol, mae'n rhaid rhoi sylw i ddechrau i feddyliau a threfnau gweithredu arferol a allai fod wedi'u gwreiddio mor ddwfn, maen nhw'n anweledig. Yn yr enghraifft uchod, dechreuodd nyrsys ofyn, 'Beth os nad oes rhaid gweini brecwast ar amser penodol?' O'r posibilrwydd o'i 'wneud mewn ffordd arall', daeth llif o egni a syniadau i wneud iddo weithio. Ac o'r parodrwydd i wneud i hyn ddigwydd, crëwyd trefn newydd na fyddai neb wedi'i dychmygu erioed wrth barhau i weithredu o fewn yr hen drefn.

Ymarferion

Mewn sefydliad

1. Sut y gallech chi addasu pethau yn eich cartref gofal i fodloni anghenion bwyta'r preswylwyr yn well? (Awgrymiadau: lleoliad, amser, beth sydd yn y prydau, sut y mae'r bwrdd wedi'i osod.)

2. Beth yw eich hoff fwyd cartref? Pa atgofion sydd gennych chi amdano? A allech chi goginio rhywbeth i ddod i'r cartref a rhannu'ch atgofion chi â'r preswylwyr?

3. Pa fwydydd arbennig o wahanol ranbarthau y byddai'r preswylwyr yn eu hadnabod? Sut y gallech chi gynnwys y rhain yn y fwydlen?

4. Meddyliwch am dair ffordd ddiogel o gael swper yng ngolau cannwyll (canhwyllau go iawn neu ganhwyllau ffug).

5. Meddyliwch am bum peth a fydd yn hwyl i'w gwneud ag eisin siocled!

6. Holwch y preswylwyr am eu hoff fwydydd, a rhowch nhw iddyn nhw.

7. Dathlwch fwydydd tymhorol mewn pedair ffordd. (Awgrymiadau: yn weledol, blasu, arogli...)

8. Gwnewch rysáit bisgedi syml gyda'ch gilydd. Graddiwch y gweithgaredd i bawb allu cymryd rhan ynddo (gweler *Graddio gweithgareddau* t48).

9. Trefnwch de parti i'ch grŵp. Gwahoddwch y teulu i helpu ac i fwynhau.

10. A yw'ch sefydliad chi yn un amlddiwylliannol? Pa ddefodau ynglŷn â bwyd y gallech chi eu gweithredu i wneud y pryd yn ddigwyddiad? Pa elfennau y gallech chi eu cynnwys mewn diwrnodau 'arferol'? (Awgrymiadau: blodau'r gwanwyn ffres ar y bwrdd neu ger pob lle wrth y bwrdd, pryd distaw, cerddoriaeth, napcynau lliwgar, eistedd mewn mannau gwahanol, gweddïo neu westai arbennig.)

Gartref

Gallwch addasu'r holl ymarferion uchod i wneud prydau bwyd gartref yn fwy pleserus. A allech chi fwyta yn rhywle arall? (Awgrym: y tu allan yn yr haf.) A oes rhywun y gallech ei wahodd draw a fyddai'n gwmni derbyniol (ac yn oddefgar o foesau bwrdd anghonfensiynol) i'r un sydd â dementia, ac i chi? Beth y byddai'ch perthynas yn ei fwynhau? (Brecwast yn y gwely ar hambwrdd? Brecwast o flaen y teledu, neu gyda cherddoriaeth, mynd allan gyda'ch gilydd i dafarn? Neu fynd am dro i nôl pysgod a sglodion?)

Bwydlen
Croissants
Tost
Jam mefus cartref
Grawnfwyd
Iogwrt
Coffi. Te
Te llysieuol

Gwneud rhywbeth ar gyfer/gyda

Roedd y fenyw'n methu symud o gwbl oherwydd ei chyflwr diabetig, ac yn syllu'n ddifater o'i blaen. Gofynnais iddi gymryd rhan mewn ychydig o grefft syml, ond fe wrthododd hi. Felly, eisteddais gyda hi a dechrau gwneud blodyn papur. Wrth i mi weithio, fe holais i hi am ei bywyd a'i diddordebau.
Un o'i diddordebau o'r blaen oedd gwaith llaw, ond o ganlyniad i'w salwch a'i gorbwysedd difrifol, roedd hi'n methu defnyddio'i dwylo i wneud gwaith manwl. Fodd bynnag, roedd hi'n gallu gwneud ambell symudiad bach, ac o dro i dro gofynnais iddi ddal y glud, a gofynnais unwaith iddi ei roi ar y papur. Yn fuan, anghofiodd am ei chyfyngiadau ac ymgollodd yn llwyr. Fe wnaeth hi ddau flodyn heb fawr ddim cymorth. Wrth i mi adael, daeth nyrs i mewn ac edmygu'r blodau. Trodd y fenyw at y nyrs a dweud yn bendant, 'Edrychwch, rydw i'n dal i allu gwneud rhywbeth!'

Un ffordd o dreulio amser gyda rhywun yw gwneud gweithgaredd creadigol o'i flaen. Gan ddibynnu ar ei allu, gall gyfrannu neu wylio. Hyd yn oed os yw'n methu cyfrannu'n ymarferol, mae yna ffyrdd i'w gynnwys. Edrychwch ar y bennod *Graddio gweithgareddau* (t48).

Gallwch ddechrau drwy esbonio beth rydych chi'n mynd i'w wneud a beth yw ei bwrpas: 'rydw i'n mynd i wneud y blodyn yma i addurno'ch hysbysfwrdd, ac fe gewch chi fy helpu i, os hoffech chi.' Gallwch chi eu cynnwys nhw drwy ofyn cwestiynau sy'n berthnasol i'r gweithgaredd: 'Pa un o'r rhain yw eich hoff liw chi? Hoffech chi ddewis un o'r papurau (pennau, gwrthrychau, delweddau) hyn?'

Wrth i chi ddod i ddeall faint mae'r person yn gallu'i wneud, byddwch chi'n gallu ei annog i wneud tasgau penodol. Gall ddal y glud neu'r siswrn, neu gall dorri, gludo neu blygu. Gallwch chi wneud unrhyw un o'r symudiadau hynny gyda'ch gilydd drwy osod eich llaw chi ar ei law yntau, os yw hyn yn addas, a bydd yn teimlo'i fod wedi cyfrannu.
Hyd yn oed os nad yw'n gwneud dim byd ond edrych, gofynnwch ei farn am gamau penodol.
Os yw eich agwedd yn un o fwynhad ac yn ei gynnwys, bydd yn teimlo boddhad pan fydd y gwaith wedi'i orffen, ac wedi cael ei ddiddanu wrth i chi weithio.

Trïwch ddod o hyd i ddiddordeb sy'n gyffredin i'r ddau ohonoch chi, ac a fydd yn ysbrydoli'r ddau ohonoch. Gwnewch rywbeth ymarferol neu ddeniadol ar gyfer ei ystafell neu'r lolfa. Gwnewch rywbeth â'i enw arno. Peidiwch â gwneud dim sy'n edrych fel celf ysgol feithrin – dewiswch ddeunyddiau i oedolion, fel papurau hardd, wedi'u gwneud â llaw, mewn lliwiau cynnil a chryf. Peidiwch â defnyddio lliwiau sylfaenol yn unig, fel melyn, coch a glas. Cyferbynnwch y rhain â lliwiau porffor tywyll, melynwyrdd, pinc llachar, lliwiau llwyd a browngoch. Neu defnyddiwch liwiau sy'n mynd o fod yn olau i fod yn dywyll mewn pum cam. Dydw i ddim yn or-hoff o ddefnyddio papur trwchus; os oes rhaid i chi ei ddefnyddio, defnyddiwch bapurau sgleiniog neu gliter hefyd fel cyferbyniad.

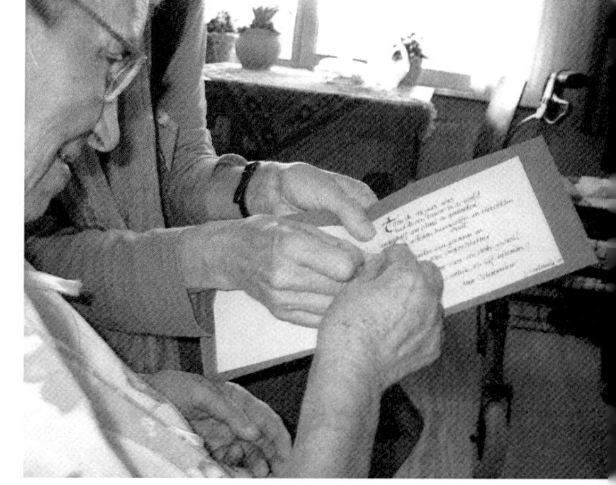

Cofiwch, mae gwaith creadigol amherffaith yn dal i fod yn llwyddiant creadigol, ac weithiau'n gelfyddyd! Modd yw gweithgaredd creadigol, nid diben. Y prif bwrpas yw treulio amser adeiladol a chyfeillgar, ac os oes cynnyrch da yn y diwedd, mae hynny'n fonws.

Yn y gorffennol, rydw i wedi cerdded i mewn i lolfa llawn preswylwyr cysglyd, ac ar ddiwedd y prynhawn, wedi gadael grŵp o bobl egnïol a oedd wrth eu boddau'n cymryd rhan. Fel arfer, byddwn i'n mynd o gwmpas yn cyfarch pobl yn bersonol, gan asesu eu lefelau egni a sylw. Byddwn i'n eu hatgoffa pam roeddwn i yno, ac fel arfer yn dechrau gydag ychydig o unigolion a oedd yn gwneud gweithgareddau'n weddol gyson.

Doedd Mrs F ddim yn hoff o unrhyw waith celf, ond roedd hi'n hapus gyda'r copi wedi'i chwyddo o'i chroesair (edrychwch ar *Gemau a Chwarae* t84). Byddwn i'n eistedd gyda hi wrth iddi ddechrau, yna byddai'n gweithio'n galed ar ei phen ei hun am awr neu ragor.

Roedd Mrs G yn greadigol iawn ac yn gwneud gwaith celf hardd o'r printiau mandalâu y byddwn i'n eu rhoi iddi hi. Fe fyddem ni'n dechrau drwy weithio gyda'n gilydd ar rai gwahanol, a minnau'n awgrymu lliw neu ddyluniad weithiau, os oedd hi'n ymddangos bod angen help arni. (Gweler *Mandalâu*, t162.)

Byddai Mr V yn eistedd wrth y bwrdd yn darllen ei bapur, ac yn fodlon cymryd rhan mewn gêm eiriau neu wybodaeth gyffredinol gyda rhai o'r preswylwyr eraill.

Byddai nifer o bobl eraill yn mwynhau edrych ar lyfrau lluniau o'r llyfrgell, ac ambell un arall yn gallu gwneud crefft syml, fel *collage*.

Roeddwn i'n gallu symud o gwmpas o'r naill i'r llall yn rhoi sylw unigol i 8–10 o bobl drwy gydol y ddwy awr roeddwn i yno. A hyd yn oed os mai dim ond eistedd wrth y bwrdd yn mwynhau prysurdeb pawb arall roedd rhai o'r preswylwyr, roedden nhw'n cael eu dal yn yr awyrgylch cyffredinol. Roedd synau dymunol ac arwyddion o weithgaredd yn denu staff ac ymwelwyr i ddod i weld beth oedd yn digwydd; weithiau roedden nhw'n cael eu gwahodd i ymuno â ni.
Newidiodd y gweithgaredd yr awyrgylch yn llwyr yn y rhan honno o'r cartref am y prynhawn cyfan.

Ymarferion

1. Chwiliwch ar y rhyngrwyd neu mewn siop grefftau am flodau sy'n hawdd eu gwneud – mae'n amhosibl methu gyda'r rhain ac maen nhw'n brydferth. Mae cyfarwyddiadau ar gyfer gwneud y rhain yn *I'w gwneud ar gyfer yr ystafell* (t124–25).
2. Meddyliwch am dri phwnc ar gyfer *collage* â thema i'w wneud gyda'ch gilydd. (Awgrym: plant, anifeiliaid anwes.)
3. Meddyliwch am dri phwnc ar gyfer *collage* haniaethol i'w wneud gyda'ch gilydd. (Awgrym: pethau glas, sgwariau, cylchoedd.)
4. Meddyliwch am dri phwnc ar gyfer *collage* i'w wneud gyda'ch gilydd o gwmpas bwrdd. (Awgrym: pethau o ddiddordeb lleol, tymhorol.)
5. Chwiliwch am ffurf hawdd ar origami a dysgwch sut i'w gwneud.
6. Symleiddiwch hobi sydd gennych chi a'i dysgu i rywun arall. (Awgrym: brodwaith – gwnewch ddyluniad mewn pwyth rhedeg syml iddyn nhw ei ddilyn.)
7. Dyluniwch dri gweithgaredd o gwmpas diddordeb neu swydd yr unigolyn. (Awgrym: gwniadwraig – dewch â ffabrigau hardd i mewn, gwnewch fag *pot-pourri* syml, *I'w gwneud ar gyfer yr ystafell* t119.)
8. Defnyddiwch lythrennau deniadol (caligraffeg) i wneud rhywbeth personol ar ei gyfer. (Awgrym: ei enw ar arwydd i'w roi ar ei ddrws, *Llythrennau ac ysgrifennu* t142.)

Gemau a chwarae

Mae'r rhan fwyaf o gemau'n gofyn am sgiliau gwybyddol cymhleth, ac felly maen nhw'n anodd ac yn gwneud i bobl sydd â dementia datblygedig deimlo'n rhwystredig. Ond does dim rheswm pam na ddylai'r unigolion hyn beidio â chael y gwmnïaeth, yr hwyl a'r synnwyr o lwyddiant sy'n deillio o chwarae gemau. Yn anad dim, dylai pobl sydd wedi chwarae cardiau neu gemau eraill drwy gydol eu hoes gael y cyfle i fwynhau'r gweithgaredd hwn.

Yn ei lyfr *Keeping Busy*, mae James R. Dowling (1995) yn cynnwys pennod hir ar gemau geiriau. Gallech ofyn, sut y mae gemau sy'n ymwneud â chof ac iaith yn addas i bobl â dementia? Ond mae geiriau, yn enwedig brawddegau, dywediadau ac ymadroddion cyfarwydd, yn aros yn yr ymennydd am gyfnod hir. Rydw i wedi chwarae nifer o gemau sy'n ymwneud â geiriau a chofio gyda phobl â graddau amrywiol o ddementia, ac maen nhw wedi bod yn rhyfeddol o lwyddiannus.

Addasu gemau

Un ffordd o fod yn greadigol yn y maes hwn yw addasu gemau i lefel gallu gwybyddol yr un rydych chi'n gweithio gydag ef. Meddyliwch am y gêm fel ffordd o dreulio amser mewn cwmnïaeth, ac o roi cyfle i'r unigolyn ennill teimlad o lwyddiant. Mae llwyddiant personol yn disodli ennill neu golli fel nod.

Mae rhai unigolion, er enghraifft, yn parhau i wneud posau croeseiriau am gyfnod hir, er gwaethaf anawsterau gwybyddol eraill. Rhoddodd un fenyw'r gorau i'r gweithgaredd cyfarwydd hwn oherwydd ei bod hi'n colli ei golwg; pan wnes i'r posau'n fwy, roedd hi'n gallu eu mwynhau nhw eto. Wrth i'r croeseiriau fynd yn anoddach iddi gyda'i hafiechyd yn datblygu, weithiau byddwn yn rhoi copi gwag o'r rhai roedd hi wedi'u gwneud eisoes ac roedd y rhain yn haws iddi. Roedd y twyll bach hwn yn dod â hunan-barch amlwg iddi hi. Os oedd hi'n dweud bod un yn ymddangos yn gyfarwydd, byddwn i'n dweud, 'Ydi, efallai ein bod ni wedi gwneud hwn yn barod, sawl mis yn ôl', ac roedd hi'n hapus gyda hynny.

Mae Mrs S wedi dechrau llenwi'r croesair

Pan ddes i ar draws y gêm Cofio yn ystafell weithgareddau cartref nyrsio seiciatrig, roeddwn i'n synnu clywed ei bod yn cael ei defnyddio'n gyson gyda phobl â dementia.

> **Chwarae'r gêm:** Y nod yw darganfod cardiau tebyg. Mae'r cardiau'n cael eu cymysgu a'u rhoi wyneb i lawr mewn grid. Yn eu tro, mae'r chwaraewyr yn troi dau gerdyn wyneb i fyny. Os nad oes pâr, mae'r cardiau'n cael eu troi yn eu holau, wyneb i lawr. Yn y cyfamser, mae'r chwaraewyr yn ceisio cofio'r cardiau a ble'r oedden nhw ar y grid. Mae'r chwaraewr nesaf yn troi dau gerdyn arall drosodd, gan gofio ble'r oedd y cardiau a gafodd eu dangos y tro diwethaf. Mae'r gêm yn datblygu nes bod rhywun yn troi drosodd ddau gerdyn tebyg. Mae'n eu cymryd nhw oddi ar y grid, yn eu rhoi i'r naill ochr, ac yn cael tro arall.

Roedd rhai pobl yng nghyfnod cynnar yr afiechyd yn gallu cofio a pharu'r cardiau, ond roeddwn i'n chwilfrydig i wybod sut y byddech chi'n defnyddio'r cardiau gyda phobl a oedd wedi colli'r galluoedd hynny. Felly, edrychais ar ffyrdd o ddefnyddio'r cardiau fel man cychwyn ar gyfer gemau a oedd yn addas i lefel gallu pawb. Gallwch addasu bron unrhyw gêm (gardiau) syml fel hyn. Er enghraifft, yn y gêm Cofio, os nad yw'r person yn gallu cofio ble y mae'r cerdyn mae hi newydd ei droi drosodd, yn hytrach na throi'r cerdyn yn ôl wyneb i waered, gadewch y cerdyn yn y golwg nes y bydd hi'n darganfod y pâr.

Rhowch gynnig ar rai o'r ymarferion canlynol i ddatblygu'ch syniadau eich hun wrth addasu gemau, ac edrychwch ar y bennod *Graddio gweithgareddau* (t48).

Ymarferion

1 Meddyliwch am dri amrywiad ar y gêm Cofio sy'n dal i ddibynnu ar gadw safle'r cardiau, ond â llai o elfennau i'w cofio. (Awgrymiadau: llai o ddewis, heb fod yn gystadleuol, yn defnyddio symudiad neu sŵn.)

2 Nawr, gan ddefnyddio'r un cardiau, crëwch dair gêm nad ydyn nhw'n dibynnu ar y cof. (Awgrymiadau: rhoi'r lluniau mewn categorïau yn ôl lliw, er enghraifft; didoli; trefnu.)

3 Gêm gardiau Quartet neu Happy Families wedi'u cyfuno â hanes personol:

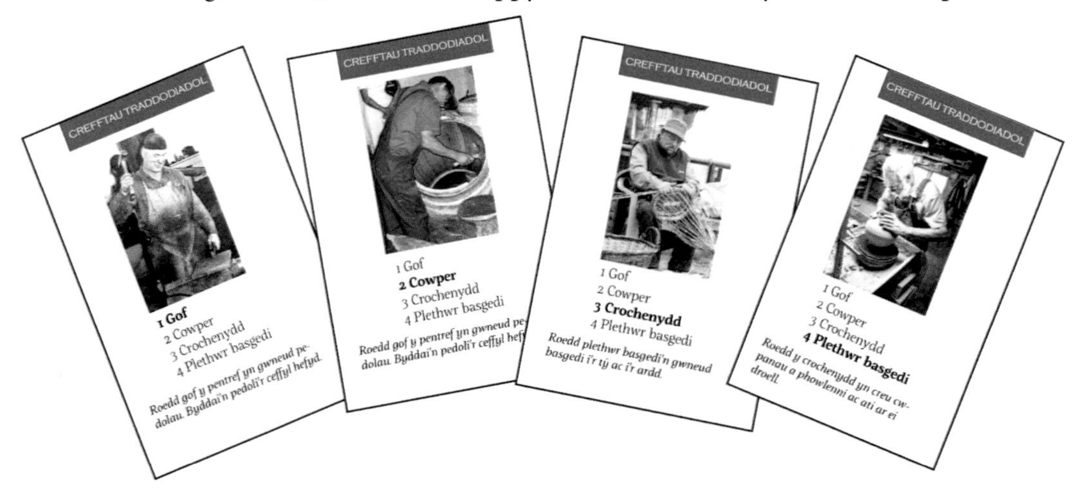

Y gêm gardiau fwyaf llwyddiannus rydw i erioed wedi ei chwarae gyda phobl â nam gwybyddol cymedrol oedd gêm Quartet yn seiliedig ar ardaloedd lleol a'r cyfnodau roedd y preswylwyr wedi'u magu ynddyn nhw. Roedd y cardiau o faint cerdyn post mawr ac yn cynnwys cyfresi o ddarluniau (pedwar ym mhob cyfres; gallech ddefnyddio ffotograffau yn lle hynny). Roedden nhw wedi'u rhannu yn gategorïau: *tirnodau adnabyddus, hen fathau o waith, bwydydd penodol i ardaloedd, dywediadau tafodieithol, dillad, ac eitemau'r cartref.*

Roedd pawb a oedd yn bresennol yn cymryd rhan, ac roedd y rheini a oedd heb unrhyw grap ar y 'gêm' yn cael eu tynnu'n hawdd i drafodaeth am bob pwnc a oedd ar y cardiau. Gwnewch eich gêm Quartet eich hun yn seiliedig ar yr ardal y mae'r rhan fwyaf o'r preswylwyr yn dod ohoni, neu'r rhanbarth neu'r wlad.

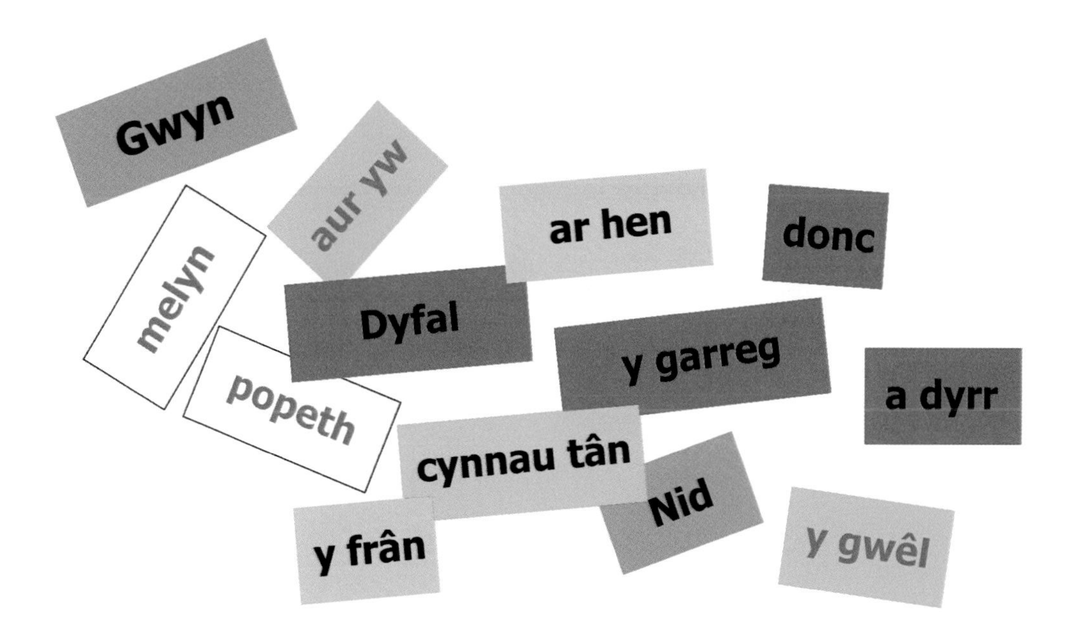

4 Gêm lwyddiannus a hawdd arall yw Dywediadau. Argraffwch ddiarhebion cyfarwydd ar bapur lliw trwchus, lamineiddiwch nhw â phlastig clir, ac wedyn torrwch nhw'n ddarnau a'u cymysgu.
Nod y gweithgaredd yw aildrefnu'r darnau i ffurfio dihareb gyflawn.

Mae dywediadau cyfarwydd mor gynhenid, mae hi fel petaen nhw'n aros yn y cof pan fydd hwn yn dechrau dirywio. Gall 'Gwyn y gwêl...' gael ei gwblhau'n rhwydd gan nifer fawr o bobl â dementia.

Meddyliwch am ddull chwarae ar gyfer pob un o'r pedair lefel isod:

- a Pobl sy'n gallu darllen o hyd, a deall yr hyn y maen nhw'n ei ddarllen
- b Pobl sy'n gallu darllen, ond mae angen help arnyn nhw i ddehongli'r hyn y maen nhw wedi'i ddarllen
- c Pobl sy'n methu darllen, ond yn gallu adnabod y dywediadau a'u cwblhau ar lafar
- ch Pobl sy'n methu cyfrannu ar lefel wybyddol, ond yn mwynhau trefnu pethau.

Eu stori nhw, eu hanes nhw

hel atgofion a hunaniaeth

Pan mae rhywun wedi cael diagnosis o ddementia, mae fel petai wedi colli'r hawl i ddiffinio'i hunaniaeth.
Killick J, Allan K (2001)

Mae pobl â dementia yn oedolion aeddfed, a'r rhan fwyaf ohonyn nhw wedi magu plant ac wedi bod mewn safleoedd cyfrifol yn eu gwaith.
Pan maen nhw'n cael eu rhoi mewn gofal sefydliadol, maen nhw dan fygythiad o golli eu swyddogaethau yn eu cymdogaeth a'u cymuned agos, yn ogystal â'u rheolaeth dros eu bywydau eu hunain.

Dylid gwneud pob ymdrech i gefnogi annibyniaeth a hunaniaeth pobl â'r cyflwr hwn. Mae dangos gwir ddiddordeb yng ngorffennol y person yn ffordd effeithiol o wneud hyn, ac mae'n gallu bod yn rhodd wych i'r ddau ohonoch chi: mae'r person yn cael cyfle i adrodd ei hanes i chi, ac rydych chi'n cael cyfle i ddysgu am yr oes a fu.

Fel Americanes yn byw yn yr Iseldiroedd, mae dysgu am hanes yr ardal rydw i'n byw ynddi wedi bod yn brofiad arbennig, o ddysgu sut roedd pobl yn glanhau carpedi cyn dyddiau sugnwyr llwch (roedden nhw'n llusgo'r carped allan yn y gaeaf a'i olchi ag eira), i'r nwyddau a oedd ar werth yn nyddiau cynnar siop y groser (perlysiau, grawn a siwgrau, i gyd yn rhydd, ac yn cael eu rhoi mewn bagiau brown siâp triongl).

Cyfathrebu'n greadigol

Er bod rhywun sydd â nam gwybyddol yn gallu cael trafferth cyfathrebu a deall lleferydd, mae'n dal i fod y person pwysicaf i'w holi am hanes ei fywyd.
Mae dulliau creadigol ar gael i alluogi'r person i gyfleu ei anghenion a phwy ydyw, hyd yn oed os yw yng nghyfnod diweddarach ei salwch.

Teithiodd tîm o gwmpas sefydliadau yn Israel, er enghraifft, i gasglu proffiliau drwy holi'r preswylwyr eu hunain, nid y staff. Fe wnaethon nhw hyn drwy eistedd o gwmpas bwrdd a dangos parau o ansoddeiriau, un ar y tro, i ychydig o bobl. Gofynnwyd iddyn nhw ddewis pa ansoddair oedd yn eu disgrifio nhw orau. 'Roedd pobl â nam gwybyddol llym, hyd yn oed, yn gallu rhoi proffil lled gyflawn ohonyn nhw'u hunain.' Zgola (1999)
Yn yr Alban, mae gweithwyr cymdeithasol wedi defnyddio geiriau atgofus ar gardiau gyda phreswylwyr i werthuso'n gywir y gofal roedden nhw'n ei gael. Killick J (2003)

Dod i fy adnabod i

Yn fy ngwaith i yn y cartref gofal, fe wnes i addasu tudalen *Getting to know me* gan Zgola (1999) yn weithgaredd.
Nod y gweithgaredd hwn oedd cadarnhau hunaniaeth pawb a'i chefnogi, ac atgoffa'r teulu a'r gofalwyr eu bod nhw'n delio â phobl go iawn. A chafwyd llawer o fwynhad wrth gasglu'r wybodaeth.
Mae disgrifiad o'r gweithgaredd hwnnw'n dilyn.

FY ENW I YW *Mrs Lilian Davies*

FY LLYSENW I YW *Lil*

CEFAIS FY NGENI YN (LLE) *Glanaman, Sir Gaerfyrddin*

TREULIAIS Y RHAN FWYAF O FY MYWYD YN *Cwmllynfell*

FY MARN AM Y LLE HWNNW OEDD *iawn, gan ystyried sefyllfa anodd y teulu ar y pryd*

FY HOFF DDIDDORDEB I YW/OEDD *gwau a gwnïo*

YR UN A GAFODD Y DYLANWAD MWYAF ARNAF I OEDD *mae'n anodd dweud*

OHERWYDD *...heb ateb*

FY HOFF FWYD I YW *cinio dydd Sul*

FY HOFF CHWARAEON I YW *snwcer*

FY HOFF LE I YN YR HOLL FYD YW *Cymru*

BYDDAI RHYWUN ARALL YN DWEUD MAI'R PETH GORAU AMDANAF I YW *rydw i'n fam dda*

FY NODWEDD ORAU I YW *mam dda*

HYD YN HYN, RWYF FWYAF BALCH O *fy mab, ac mae gen i ddwy ferch a saith o wyrion!*

DOD I FY ADNABOD I

Paratoi
Ysgrifennais y cwestiynau (gweler y dudalen nesaf) ar fy nghyfer i, a'u rhifo nhw, gan adael nifer o leoedd gwag rhwng pob cwestiwn i ysgrifennu'r atebion.
Yna, fe wnes i nifer o gopïau: ysgrifennais enw pob preswyliwr ar frig un o'r copïau a'i ddefnyddio i gofnodi'r wybodaeth am bob preswyliwr.

Y sesiwn
Fe es i drwy'r rhestr gwestiynau'n unigol, neu un i un, neu gyda grŵp.
Roedd y sesiynau grŵp yn fywiog ac yn gynhyrchiol, gyda phobl yn dod yn fwy agored wrth i'r sesiwn fynd yn ei blaen.

Os oedd aelodau'r teulu yn bresennol, fe welwn eu bod nhw'n gwrth-ddweud atebion y preswylwyr weithiau. Byddwn yn cofnodi atebion y preswylwyr ar adegau yn hytrach na rhai'r teulu, gan eu bod nhw'n farddonol ac yn datgelu mwy amdanyn nhw eu hunain yn aml nag esboniadau mwy rhesymegol aelodau'r teulu.

Enghraifft:

> Cwestiwn: 'Beth oedd eich hoff fath o chwaraeon?'
> Ateb y preswyliwr: 'Sglefrio iâ.'
> Merch: 'Doedd Mam byth yn sglefrio iâ, roedd hi'n chwarae tennis.'
> Preswyliwr: 'Roeddwn i wastad wrth fy modd yn sglefrio ar y camlesi yn y gaeaf.'

Roedd casglu'r wybodaeth yn symud ymlaen ar gyflymder pob unigolyn, a gallai gymryd hanner awr neu fwy mewn grŵp. Yna, byddwn yn darllen atebion pawb yn ôl iddyn nhw, a'r grŵp yn cael llawer o hwyl. Fodd bynnag, roedd adegau hefyd pan fyddai stori rhywun yn eich cyffwrdd go iawn.

I gloi. Diolchais i bawb gan addo y bydden nhw i gyd yn cael copi i'w roi ar y wal yn eu hystafelloedd.

Gartref, fe wnes i ddogfen ddeniadol i anrhydeddu pawb. Gweler y dudalen ar y chwith.

Y bwriad oedd iddi fod yn debyg i ddiploma i gydnabod bywyd unigryw.

Fe wnes i'r dystysgrif yn fwy diddorol a gwerthfawr drwy lenwi'r atebion mewn caligraffeg.

Byddai unrhyw fath o lawysgrifen ddarllenadwy ffansi neu liw yn gwneud y tro.

Lamineiddiais y ddogfen derfynol â phlastig trwm, ond gallech chi hefyd ei fframio.

Y CWESTIYNAU

Fy enw i yw

Fy llysenw i yw

Cefais fy ngeni yn

Treuliais y rhan fwyaf o fy mywyd yn

Fy marn i am y lle hwnnw oedd

Fy hoff ddiddordeb i yw/oedd

Yr un yn a gafodd y dylanwad mwyaf arnaf i oedd

Oherwydd

Fy hoff fwyd i yw

Fy hoff chwaraeon i yw

Fy hoff le yn yr holl fyd yw

Byddai rhywun arall yn dweud mai'r peth gorau amdanaf i yw

Fy nodwedd orau i yw

Hyd yn hyn, rwyf fwyaf balch o

Gallwch addasu'r cwestiynau i grwpiau neu i unigolion, neu ofyn y cwestiynau dros sawl sesiwn i gael darlun mwy cytbwys o'r person. Gallech ddewis themâu gwahanol i bob sesiwn. Edrychwch ar adran *Ymarferion* y bennod hon.

LLYFR YN ÔL I NAWR

Mae'r llyfr *Yn ôl i nawr* yn ddatblygiad o *Dod i fy adnabod i*. Yn ystod yr amser rydw i wedi bod yn gweithio gyda phobl â dementia datblygedig, mae hwn yn brosiect parhaus i anrhydeddu ac i ddathlu pob unigolyn.
Y cyfan oedd y llyfr oedd ffeil ddau gylch â dalennau rhydd, gyda nifer o adrannau ynddi. Fe rois i'r enw *Yn ôl i nawr* arno gan ei fod yn ffordd o arbed eiliadau, i gadw'r 'nawr' ac edrych arnyn nhw eto.

Y categorïau oedd:

- **Dod i fy adnabod i**
- **Ymweliadau**
- **Creu cerddi**
- **Celf**
- **Llyfr ymwelwyr**
- **Arall**

Dod i fy adnabod i
Holiadur wedi'i ateb gyda'r bwriad o ddweud mwy am y person na'r hyn sydd i'w weld ar yr wyneb. Edrychwch ar yr adran flaenorol yn y bennod hon.

Ymweliadau
Lle i weithwyr a theuluoedd roi lluniau a disgrifiadau byr o ymweliadau mae'r person wedi bod arnyn nhw, ond yn aml wedi'u hanghofio erbyn y diwrnod canlynol.
Byddai edrych ar yr adran hon a chofio am y trip i'r sw neu'r daith ar y cwch yn weithgaredd cysylltiedig. Yn aml, byddai'r person yn methu cofio'r manylion ond fe fyddai'n cofio'r emosiynau a oedd yn gysylltiedig â'r diwrnod da.

Creu cerddi
Byddwn i bob amser yn cofnodi darnau o sgyrsiau, a chreu cerddi ohonyn nhw weithiau. Mae disgrifiad o'r ffurf yma ar ysgrifennu creadigol yn y categori nesaf. Drwy gadw'r canlyniadau yn y llyfr, yn y pen draw byddai'r person yn dod yn falch o'r hyn yr oedd wedi'i ysgrifennu. Ac roedd yn agwedd newydd arno i deulu a gofalwyr a oedd heb sylwi ar y dyfnder hwn ynddo.

Un o'r gweithgareddau cysylltiedig oedd addurno'r cerddi wedyn, gan ddefnyddio *collage*, stampio neu rai o dechnegau eraill celf weledol.

Celf

Roedd yr holl dudalennau fformat A4 a oedd yn cynnwys lluniau, peintiadau neu *collage*s yn cael eu cadw yn yr adran hon. Y ffurf fwyaf poblogaidd ar gelf oedd lliwio mandalâu (t162). Roedd gan un fenyw ddawn arbennig wrth ddefnyddio lliwiau ac roedd wrth ei bodd yn mynd drwy ei llyfr, yn edrych ar y gwaith roedd hi wedi'i gwblhau ac yn ei ddangos i eraill.

Llyfr ymwelwyr

Weithiau byddai preswyliwr mewn gwewyr yn aros am ymweliad a oedd wedi bod eisoes. Mewn un achos, roedd menyw a oedd yn disgwyl am ei brawd yn cynhyrfu fwy a mwy pan oedd gofalwyr yn dweud wrthi ei fod wedi ymweld â hi ddoe. Am eiliad, roedd hi'n ymwybodol ei bod hi wedi colli'r darn cyfan hwnnw o'i chof, a gwylltiodd gyda'i gofalwr am 'ddweud celwydd wrthi hi'.
Petai'r brawd wedi ysgrifennu neges a dyddiad yr ymweliad yn y llyfr ymwelwyr, byddai hyn wedi'i thawelu hi, efallai. Fodd bynnag, mae hefyd yn bosibl na fyddai hi wedi deall hyn chwaith, neu heb ei dderbyn oherwydd ei fod yn dystiolaeth fod rhywbeth o'i le ar ei chof.

Er hynny, gall llyfr ymwelwyr fod yn ddefnyddiol, yn enwedig os yw aelodau gwahanol y teulu sy'n dod o bell yn ymweld yn rheolaidd. Fe welais lyfr lle'r oedd pedair merch wedi cofnodi manylion eu hymweliadau â'u mam. Roedden nhw'n cynnwys yr hyn roedden nhw wedi'i wneud gyda'u mam y diwrnod hwnnw, ei hiechyd a sut olwg oedd arni, a'r pethau roedd hi wedi'u dweud.

Arall

Lle yw hwn i roi unrhyw ddeunydd arall sy'n berthnasol i hunaniaeth y person. Yn yr adran hon, rhowch lythyr sy'n arbennig o ystyrlon, neu gardiau pen-blwydd neu unrhyw ffurf arall ar wobr neu werthfawrogiad, er enghraifft. Byddwn i'n cynnwys pethau y daethom ar eu traws nhw wrth fynd am dro, blodau wedi'u cywasgu, croeseiriau neu bosau eraill wedi'u cwblhau, ac ati.

Ymarferion

1. Meddyliwch am dri phwnc ar gyfer sesiynau Dod i fy adnabod i. (Awgrymiadau: cerddoriaeth, diddordebau, ac ati.)
2. Pa ddiddordeb sydd gennych chi a allai gyd-fynd â rhywbeth o orffennol y person? Er enghraifft, fel caligraffydd, roeddwn i'n awyddus i wybod sut y gwnaethon nhw ddysgu ysgrifennu. Fe ddes i â hen bennau ysgrifennu ac inciau i ysgogi eu hatgofion nhw am ddysgu ysgrifennu.
3. Petaech chi mewn cartref nyrsio, pa bethau heddiw fyddai'n hen beth erbyn hynny (er enghraifft, 30 mlynedd yn y dyfodol)? Beth fyddech chi'n hiraethu amdanyn nhw?
4. Pa hen beth y gallech chi ei ddangos iddyn nhw i'w hysgogi i hel atgofion? (Awgrym: bwyd neu duniau losin hen ffasiwn.)
5. Pa ddarn o gerddoriaeth y gallech chi ei chwarae i breswyliwr i'w atgoffa o'r dyddiau a fu?
6. Meddyliwch am dri phwnc i ysgogi hel atgofion sy'n ymwneud â'r cartref.
7. Meddyliwch am dri phwnc i ysgogi hel atgofion sy'n ymwneud â gwaith. (Awgrym: swyddfa, adeiladu, bwyty, ac ati.)
8. Meddyliwch am dri phwnc i ysgogi hel atgofion sy'n ymwneud â theithio.

Ysgrifennu creadigol ar y cyd

Mae rhoi amser a sylw i unigolyn a gwrando'n astud ar yr hyn y mae'n ei ddweud yn cyfleu i bawb â dementia eu bod nhw'n werthfawr, eu bod nhw o ddiddordeb ac o werth. Mae'r cam pellach o ysgrifennu'r hyn sy'n cael ei ddweud yn tanlinellu'n bwerus y datganiad hwnnw o werth – profiad prin ac unigryw, efallai, i'r un â dementia. Mae pobl roedd gofalwyr yn credu nad oedden nhw'n gallu siarad o gwbl yn gallu cyfathrebu'n glir ac yn angerddol. Dyma'r wobr i John Killick am ei hyder yng ngallu pobl i gyfathrebu (hyd yn oed y rheini sydd wedi'u niweidio'n ddifrifol).
– Sue Benson, Rhagair *You are Words* (Killick, 1997)

Pan glywais i gyntaf am waith arloesol John Killick yn barddoni gyda phobl â dementia, fe daniodd fy nychymyg gymaint, fe gysylltais i ag ef ar unwaith. Cytunodd yn raslon i mi ymweld ag ef, ac fe es i'r Alban i gwrdd ag ef ym Mhrifysgol Stirling: ar y pryd, roedd yno'n gyfarwyddwr prosiectau creadigol a gofal dementia.

Mae John yn fardd ac yn awdur, felly mae wedi datblygu sgiliau penodol drwy weithio'n greadigol gyda geiriau. Ond, gyda math arbennig o sylw ac agwedd agored a chreadigol, gall unrhyw un wneud y gwaith hwn.

Mae John yn creu barddoniaeth o'i sgyrsiau gyda'r unigolyn. Mae'n cadw'r geiriau fel y maen nhw, a naill ai'n defnyddio'r geiriau fel y cawson nhw eu dweud, neu ar y mwyaf, yn eu crynhoi i'r syniad sylfaenol.

Asesu galluoedd llafar

Eich cyfrifoldeb chi yw asesu galluoedd llafar y person. Byddwch yn gynnil a gwyliwch ef neu hi i weld a yw'n gallu darllen ac a yw'n deall yr hyn y mae'n ei ddarllen. Er enghraifft, gofynnwch am help i ddehongli ychydig eiriau mewn print, a beth yw eu hystyr. Yn aml, mae pobl sy'n cael trafferth ffurfio brawddegau yn gallu deall geiriau wedi'u llefaru yn well o lawer nag y maen nhw'n gallu eu dweud nhw.
Wrth wneud y gwaith hwn, ceisiwch gael gwared ag unrhyw beth sy'n tynnu sylw, fel radio neu deledu.

Sut i fynd ati

Wrth fod yn ysgrifennydd ar ran unigolion â dementia, byddwn yn cofnodi'r sgwrs ac yn trefnu ychydig o'r llinellau hirach yn ymadroddion byrrach, mwy barddonol, er enghraifft:

'Roedd yn dŷ ar y dŵr yn syth ar ôl Kantens, bron yn Rottum. Roedd ein ffatri hefyd ar ymyl y dŵr, ond nid yw yno mwyach.'

yn troi yn:

Roedd yn dŷ
ar y dŵr
yn syth ar ôl Kantens,
bron yn Rottum.
Ond
nid yw yno
mwyach.

Hynny yw, mae llais y siaradwr yn cael ei ddwysáu yn ôl trefn y geiriau, yn ogystal â pharhau'n gyflawn. Yn sicr, dyma enghraifft o ymdrech ar y cyd, ond mae'r llais yn dal i fod yn llais yr un a lefarodd y geiriau.

Mae'r gerdd uchod yn cymryd union ystyr y geiriau, sy'n eithaf rhesymol a disgrifiadol. Mae 'Roedd gan ein teulu ni dŷ' yn golygu hynny'n union.
Ond mae'r cyfathrebu'n llai rhesymol yn aml a dyma pryd mae eich dychymyg chi'n dod i'r adwy.

Rydw i'n credu bod fy nghefndir i mewn gwaith creadigol wedi fy helpu i oddef sgwrs afresymol yn ogystal ag i werthfawrogi defnyddio iaith mewn modd sy'n ymddangos yn hurt. Mae defnyddio geiriau'n anghonfensiynol fel hyn yn ymdrechion dilys i fynegi, ac rydw i'n eu trin nhw felly, yn hytrach na cheisio cywiro iaith rhywun (oni bai ei fod yn gofyn i mi wneud hynny). Os nad ydw i'n deall yr ystyr llythrennol, rydw i'n ceisio gwneud synnwyr o'r ystyr sydd o dan y geiriau. Ac os ydw i'n methu deall o hyd, rydw i'n dweud mai fy mai i yw hynny.

Wrth i chi edrych ar eiriau y tu hwnt i'w hystyr amlwg, mae cyd-destun newydd yn codi ac mae sawl lefel wahanol y gallwch chi weithio ohonyn nhw.

Mae'r darnau sy'n dilyn i gyd o'r llyfr, *You are Words*, Killick (1997).

Mae'r dyfyniad isod wedi ei addasu o'r gerdd 'You are Words':

> Diolch ichi am wrando.
> Wedi'r cyfan, beth ydych chi ond geiriau?
> Gall geiriau eich creu neu eich chwalu'n rhacs.
> Weithiau dyw pobl yn gwrando dim,
> Maen nhw'n rhoi geiriau'n ôl ichi
> A'r rheini wedi torri, yn blastars i gyd.

Priodweddau barddonol – ailadrodd diweddebau

Darn o'r gerdd 'Bell lane':

> *Tell tale Tit*
> *Your tongue shall be split*
> *and all the dogs in town*
> *shall have a little bit.*
>
> *Where will we run to?*
> *Up Bell lane.*
> *I'll teach the teacher*
> *And you'll get the cane.*

Neu: detholiad o 'Problems':

Are you sure there's nothing there?
Well it must have been in another room.
Well it must have been in the other house.
Well it must have been another skirt.

Geiriau yn fynegiant symbolaidd o hwyl neu syniad

Detholiad o 'Home':

That door's squeaking. It hasn't very much sense.
It makes you wonder, who's looking after it.

...

I think it is a pity to have all these people together in here.
They don't wear as well as they would outside.

Geiriau yn gelfyddyd

Mae geiriau er eu mwyn eu hunain yn nonsens i ni, ond yn mynegi rhywbeth hollol unigol.
Dyma ddetholiad o 'Writing it down':

You don't see your family
much now: like a carrier bag
on your back, one way or another.
But you can't barge it or dish it –
All of it was everwell.

Cyflwyniad

Unwaith rydych chi wedi taro'r geiriau ar bapur, y cam nesaf yw cyflwyno'r canlyniadau rywsut. Os ydych chi'n drefnydd gweithgareddau neu'n aelod o'r staff, gall ysgrifennu neu argraffu cerdd neu sgwrs fod yn anrheg i'r teulu: mae'n dangos gwerth y person fel y mae nawr. Gallai helpu aelodau'r teulu i weld eu hanwyliaid yn nhermau'r hyn sy'n dal i fod yn bosibl, yn hytrach na'r hyn sydd wedi'i golli. Efallai y byddai'n eu hysgogi nhw i ysgrifennu cofiannau eu perthynas hefyd.
Mae'r cyfarwyddiadau yn yr adran *Ysgrifennu barddoniaeth* yn y bennod *Llawlyfr 100 o weithgareddau* (t129) yn dangos sut i wneud y llyfryn syml a ddangosir yma, i gyflwyno'r gerdd.

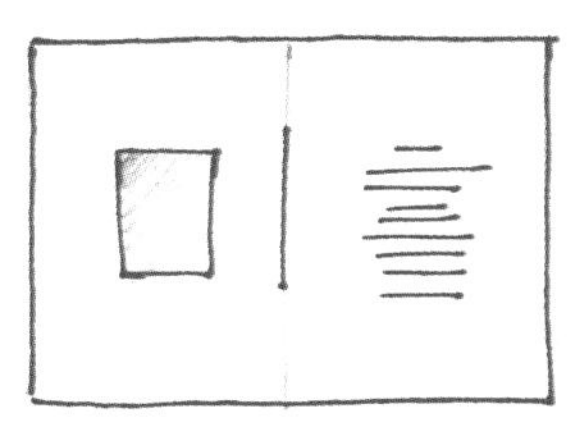

Ffotograff/llun   Testun

Ymarferion

1. Ewch ati i hel atgofion gyda rhywun, nodwch yr hyn y mae'n ei ddweud a'i droi yn gerdd. (Awgrymiadau am themâu: hen siop groser, fferm, llynnoedd, afonydd, ymweliadau.)

2. Sut y gallech chi ysgrifennu ar ran rhywun? Petai gennych chi ddementia ac yn methu ysgrifennu, ond yn ymwybodol fod gennych bethau i'w dweud, beth fyddech chi'n dymuno i rywun ei ysgrifennu ar eich rhan a sut y byddech chi'n rhoi gwybod iddo? Ysgrifennwch dri syniad am weithgaredd sy'n ymwneud â'r pwnc hwn. (Awgrym: llythyr at ffrind.)

3. Y tro nesaf rydych chi'n mynd ar wyliau, anfonwch gerdyn post at breswyliwr. Meddyliwch am dri pheth a fyddai'n ei wneud yn ddealladwy ac yn dangos ei fod wedi dod gennych chi. (Awgrym: braslun neu gartŵn am rywbeth rydych chi'ch dau wedi'i rannu.)

4. Sut y gallech chi gyfuno geiriau â cherddoriaeth? (Awgrym: cân neu rigwm syml.)

5. Pa sgìl neu ddiddordeb sydd gennych chi a allai ddatblygu ei eiriau rydych chi wedi'u cofnodi eisoes yn ysgrifenedig? (Awgrym: caligraffeg, *decoupage*, cyhoeddi bwrdd gwaith, ffotograffiaeth.)

6. Ysgrifennu barddoniaeth ar gyfer pobl oedrannus (edrychwch ar *Llawlyfr 100 o weithgareddau* t129).
   a. Ysgrifennwch eich tair cerdd eich hun, gan ddefnyddio'r awgrymiadau o'r adran *Ysgrifennu barddoniaeth*.
   b. Yna ysgrifennwch dair cerdd gyda pherson â dementia, gan ddefnyddio'r un awgrymiadau.

'Gafael' a gwrthrychau materol

Efallai y byddwch yn dod ar draws pobl y mae'r afiechyd wedi effeithio gymaint arnyn nhw fel nad ydyn nhw'n gallu deall unrhyw ddilyniant o weithredoedd, heb sôn am ddeall nod terfynol y fath weithgaredd.
Yn hytrach, efallai y byddan nhw'n gwneud pethau 'od', fel ceisio bwyta deunyddiau celf neu guddio eu bwyd mewn llyfrau neu mewn dodrefn.

Mae angen i ni gofio bod rhyw fath o ystyr yn y gweithredoedd hyn i'r person. Hyd yn oed os ydym ni'n methu deall yr hyn y mae'n ei wneud, gallwn ddefnyddio'r ystum (neu'r sŵn neu'r iaith) i'n harwain ni i fod yn gefn i'r person ym mha sefyllfa bynnag y mae.
Gallwch wneud hyn drwy symud yn gynnil oddi wrth ddehongli'r weithred yn llythrennol, tuag at ei defnyddio'n sail i ennyn diddordeb creadigol, pan mae'n bosibl.

Er enghraifft:
Roedd Mrs J yn arfer bod yn wniadwraig. Roedd hi'n fenyw anodd ei phlesio a oedd yn gwrthod cymryd rhan mewn unrhyw weithgaredd. Pan fyddwn yn rhoi deunyddiau gwnïo iddi hi, roedd fel petai ganddi ychydig o ddiddordeb, ond byddai'n eu rhoi nhw i'r naill ochr pan fyddwn yn ei hannog i 'wneud' rhywbeth â nhw.

Dechreuais ddod â mathau gwahanol o ddefnyddiau iddi eu trafod, a rhoddais siswrn a nodwyddau o fewn cyrraedd iddi. Wrth gael llonydd i archwilio'r defnyddiau ar ei thelerau hi, roedd ganddi ddiddordeb. Un tro, roedd hi wedi lapio nodwydd gyda chymaint o edau, doedd dim modd ei gweld. Gwnaeth hyn yn hollol gyfrinachol, a chuddiodd y nodwydd pan ddes i edrych arni.
(Gweler y llun ar dudalen 103.)

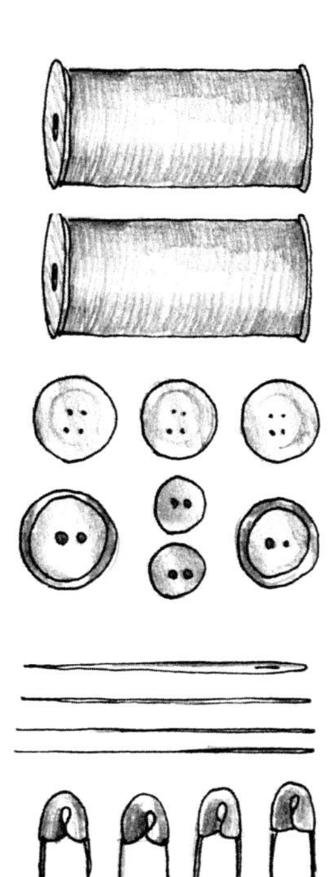

Roedd hi fel petai'n cael pleser hefyd yn gosod y deunyddiau gwnïo mewn llinell ar y bwrdd, er nad oedd hi'n eu 'defnyddio' nhw yn y ffordd arferol.

Yma, fe welwch fod y pwyslais yn y gweithgareddau hyn yn symud o 'gwblhau tasg' neu 'wneud rhywbeth' tuag at archwilio'r defnydd yn rhydd a'i drafod fel diben ynddo'i hun.

I ddatblygu'r diddordeb hwn, rhowch amrywiaeth o ddefnyddiau i'w dal, eu lapio, eu gorchuddio, eu cuddio, eu codi, eu blasu a'u harchwilio. Gallwch ryngweithio â'r ystafell, hyd yn oed; er enghraifft, gwthio yn erbyn waliau, neu dynnu drysau sydd wedi'u cau. Gallwch ystyried y gweithredoedd hyn yn weithgareddau dilys, felly hefyd ymgolli yn y broses o drefnu pethau a chwarae â nhw mewn ffordd sy'n dynodi bod hyn yn ystyrlon i'r person.

Gafael

Mae agwedd o'r enw 'gafael' yn bwysig iawn wrth fod gyda rhywun yn y math hwn o weithgaredd. Presenoldeb nad yw'n ymyrryd ydyw hwn, ond sydd eto'n hollol ymwybodol ac yn ymroi i'r person yn llwyr.
Gallech fod yn wyliwr, neu efallai y bydd yr un sydd â dementia yn eich gwahodd i gymryd rhan drwy roi rhywbeth i chi, neu edrych arnoch chi mewn ffordd ystyrlon.
Byddwch yn gorfod defnyddio'ch gallu i chwarae a chreu'n fyrfyfyr.
Mae beth bynnag sy'n digwydd wrth i'r person chwilio neu roi trefn ar bethau yn digwydd yn sgil eich presenoldeb chi.

Er enghraifft, petaech chi'n rhoi pentwr o ddeunyddiau i Mrs S edrych arnyn nhw, ni fyddai'n addas i chi adael yr ystafell ar ôl i chi ddechrau'r gweithgaredd – hyd yn oed os nad yw hi fel petai'n sylwi arnoch chi.

Weithiau, gallwch ddod i ddeall mwy am y person drwy wylio'r rhyngweithio hwn, ond does dim nod therapiwtig na diagnostig uniongyrchol i'r gweithgareddau hyn. Y nod yw rhoi sylw personol wrth i'r unigolyn gymryd rhan mewn gweithgaredd ystyrlon a phleserus.

Ymarferion

1. Rhestrwch ddeg math gwahanol o ddeunyddiau meddal i'w harchwilio a'u trefnu. (Awgrym: darnau o liain neu glytiau, pecyn swigod.)
2. Rhestrwch ddeg math gwahanol o ddeunyddiau caled i'w harchwilio a'u trefnu. (Awgrym: cerrig llyfn, blociau pren.)
3. Enwch dair siop ble y gallech chi brynu deunyddiau rhad i'w dal a'u harchwilio. (Awgrym: siop nwyddau haearn, siopau paent a phapur wal.)

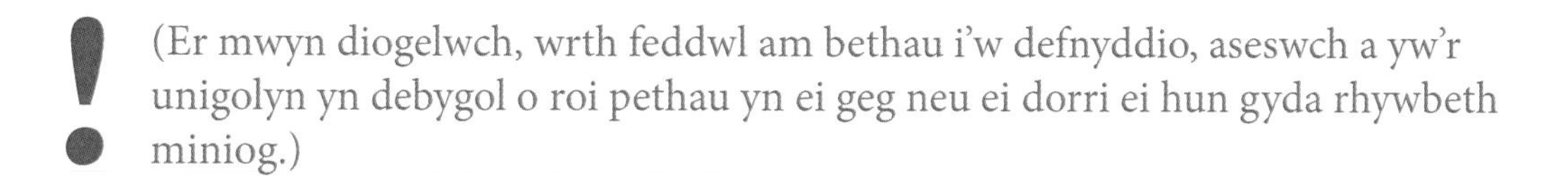

(Er mwyn diogelwch, wrth feddwl am bethau i'w defnyddio, aseswch a yw'r unigolyn yn debygol o roi pethau yn ei geg neu ei dorri ei hun gyda rhywbeth miniog.)

Dechreuwch yn yr un lle â nhw

Gweithgareddau'n seiliedig ar symudiadau llaw ac ystumiau eraill

Yn fy adran i o'r cartref, roedd llawer o bobl nad oedden nhw'n gallu sgwrsio, dirnad na rhyngweithio mewn ffyrdd roeddwn i'n gallu'u deall. Gyda fy mocs o ddeunyddiau, y cyfan roeddwn i'n gallu'i wneud weithiau oedd gwylio wrth iddyn nhw wneud pethau a oedd yn anesboniadwy, yn fy marn i.

Datblygodd man cychwyn y gweithgareddau yn yr adran hon o fy chwilio parhaus am ffyrdd i weithio'n agos gyda'r unigolion hyn ar eu telerau nhw. Yn hytrach na cheisio tynnu eu sylw, fe rois i gynnig ar ddyfalu beth oedd arwyddocâd eu gweithredoedd. Er enghraifft, pam roedd Mr B yn tapio breichiau ei gadair yn ddi-baid? A oedd yn ceisio cyfathrebu? Gallai tapio Mr B fod yn arwydd o ddiffyg amynedd; pam? Unwaith, roedd yn arwydd clir fod arno angen defnyddio'r toiled ar unwaith.

Nid oedd achos/effaith resymegol amlwg bob tro; yna byddwn i'n ymuno'n barchus â'r person ac yn cyfrannu at ei ystumiau a'i synau. Er enghraifft, gallwn i dapio ar y bwrdd yn yr un rhythm â Mr B, rhoi cynnig ar rythm arall, neu gynnig hoelbren (*dowel*) iddo i'w defnyddio fel offeryn.

Dydi Mrs G ddim yn siarad; mae hi'n sychu'r bwrdd o'i blaen dro ar ôl tro, yn ôl ac ymlaen, yn ôl ac ymlaen.
Yn ystod fy adegau anffurfiol gyda hi, roeddwn i'n defnyddio'i symudiadau hi yn sylfaen i sawl gweithgaredd:

- *a. Rhoddais gadachau â gweadau gwahanol iddi i sychu'i bwrdd hi, ac arhosais gyda hi wrth iddi roi cynnig ar bob un (roedd hi'n gwerthfawrogi hyn).*
- *b. Rhoddais deganau plastig a rhwystrau eraill ar y bwrdd (fe'u sgubodd nhw oddi ar y bwrdd gan ddangos dicter mawr).*

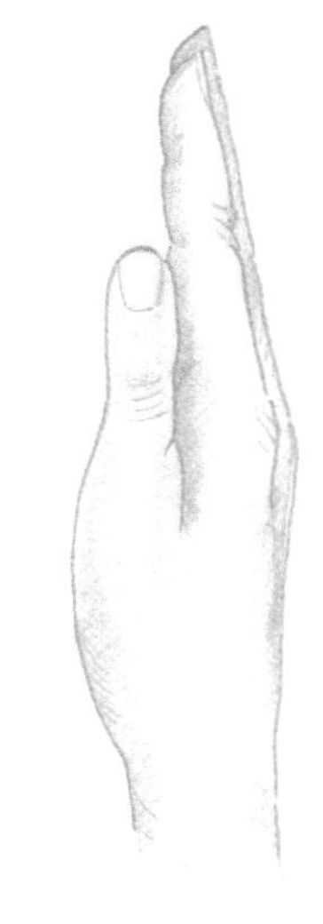

c. Eisteddais gyferbyn â hi a dynwared y symudiadau sychu (dim ymateb, dim ond ceisio weithiau symud fy llaw i ffwrdd o'i bwrdd hi).

ch. Rhoddais fy llaw i ar ei llaw hi a sychu'r bwrdd gyda'n gilydd (weithiau byddai'n caniatáu hyn, weithiau byddai'n ei anwybyddu, weithiau byddai'n tynnu'i llaw yn ôl).

Mae'r holl symudiadau hyn yn ymdrechion dilys i gysylltu â'r person ac yn ei derbyn hi fel y mae, heb labelu na cheisio newid yr ymddygiad gwreiddiol.

Dyma rai ystumiau cyffredin rydw i wedi dod ar eu traws nhw dros y blynyddoedd o weithio mewn cartrefi nyrsio gyda phobl â dementia:

Tapio/patio
Mwytho
Pwyso
Tynnu
Agor llaw
Cydio, gafael
Plygu
Rhwbio
Rholio
Troelli
Lapio
Chwifio, siglo

Mae rhagor am y pwnc hwn yn y *Llawlyfr 100 o weithgareddau* (t166), ond efallai yr hoffech chi roi cynnig ar yr ymarfer isod yn gyntaf.

- Dewiswch dri ystum o'r rhestr uchod a meddyliwch am sawl gweithgaredd ar gyfer pob un.

Tystio –
pan fyddwch chi'n methu *gwneud* dim byd

Yn ystod fy misoedd cyntaf yn gweithio yn y cartref, fe ddes i ar draws canran anghymesur o uchel o bobl yn wythnosau olaf eu bywydau. Ar y dechrau, doeddwn i ddim yn gwybod beth i'w ddweud na'i wneud, gan nad oedd llawer y gallai neb ei wneud. Ond, gydag amser, mi wnes i ddarganfod y gallai dim ond bod yno gyda'r person fod yn gysur iddo, ac i minnau hefyd.

Fy llyfr atgofion

Ystumiau creadigol

Gan fod pum person wedi marw yn y ward yn ystod fy chwe mis cyntaf yn gweithio yno, roeddwn yn teimlo'r angen i nodi'r marwolaethau hyn rywsut. Dechreuais lyfr atgofion (t137). Fe wnes i goffáu pob un gydag atgof personol gweledol, naill ai mewn llun neu *collage*. Yn y pedair blynedd y bues i'n gweithio yno, fe fu farw nifer o bobl, ac roeddwn i'n gallu cofio natur unigryw pob un a'r pleser o'i adnabod drwy roi tudalen iddo mewn llyfr.

Rydw i'n teimlo bod hyn yn rhan bwysig o ddod i dderbyn sefyllfaoedd anodd, sy'n achosi gwewyr meddwl yn aml.

Rydw i'n credu hefyd y gallai ystumiau creadigol fel hyn fod o gymorth i ofalwyr i 'roi lle' i'r marwolaethau y mae'n rhaid eu bod nhw'n eu profi'n gyson.

Tystio

Rhaid cyfaddef, weithiau, mai'r unig beth y gallwch chi ei wneud yw 'tystio'. Mae'n arwydd eich bod yn derbyn yr hyn sy'n digwydd heb geisio gwneud dim amdano.

Gallwch eistedd yn agos at berson a dal ei law, neu, os oes gennych chi berthynas agos ag ef, fwytho'i fraich, ei foch neu ei wallt. Neu gallwch ganu cân iddo, neu chwarae offeryn yn dawel. Gallwch ddweud stori wrtho, gweddïo gyda'ch gilydd neu fyfyrio.

Mae creu trefn a harddwch yn yr ystafell yn ffordd o fod yno; hyd yn oed os nad yw'r person yn ymwybodol ohono, mae'n dal i fod yn ffordd addas a chysurlon i ddangos eich bod yn ofalgar.

Mae *snoezelen* yn derm Iseldireg sy'n cael ei ddefnyddio'n gyffredin i gyfeirio at ysgogiadau synhwyraidd ysgafn, fel goleuadau swigod, cerddoriaeth ysgafn neu olau wedi'i daflunio ar waliau.
Mae p'un a yw'r mathau hyn o ysgogiadau'n addas ai peidio yn dibynnu ar gefndir y person a'i gyflwr presennol. Maen nhw'n gwneud i rai pobl ymlacio, ond maen nhw'n gwylltio pobl eraill. Byddan nhw'n cyfleu hyn i chi drwy synau neu symudiadau cynhyrfus, neu drwy droi oddi wrthyn nhw.

Gallai cerddoriaeth y mae'r person yn ei hoffi, wedi'i chwarae'n ddistaw, fod yn fwy addas.

Weithiau, gall presenoldeb ci tawel roi cysur.

Gallwch chi ddod â rhywbeth gyda chi ei wneud â'ch dwylo nad yw'n gofyn am lawer o'ch sylw. Eisteddwch gyda'r person gan wnïo, gwneud ychydig o waith atgyweirio ysgafn, neu glirio drôr. Cadwch ran o'ch sylw yn rhydd i sgwrsio'n dawel ag ef, neu byddwch yn bresennol, ond yn ddistaw.

Rydw i wedi eistedd yn dawel gyda nifer o gleifion yn ystod eu horiau olaf ar y ddaear. Mae bod yno'n llwyr gyda rhywun, hyd yn oed os yw mewn poen neu ryw wewyr arall, yn ffordd ddwys o dystio a gofalu ar yr un pryd.
Mae anadlu ar yr un pryd â'r person yn arfer pwerus. Mae John Killick a Kate Allan wedi cofnodi eu gwaith gyda'r dull hwn yn y *Journal of Dementia Care* (Killick J, Allan K 2005).

Drwy fod yno fel tyst, yn ddieiriau ai peidio, rydych yn cyfleu i'r un sydd â dementia nad yw ar ei ben ei hun a'i fod yn werthfawr. Weithiau dyma'r cyfan mae'n bosibl i ni ei wneud.

Ymarferion

1. Sut rydych chi'n teimlo am fod yno gyda rhywun heb wneud dim? Os yw hyn yn anghyfforddus i chi, rhestrwch dri rheswm. (Awgrym: 'Rydw i'n cael fy nhalu i WNEUD rhywbeth, nid i eistedd yn gwneud dim.')
2. Gan gyfeirio at y tri rheswm dros deimlo'n anghyfforddus wrth eistedd gyda rhywun heb wneud dim, rhestrwch dri pheth y gallech eu gwneud i fod yn fwy cyfforddus yn y sefyllfa hon. (Awgrym: peidiwch â theimlo'n anghyfforddus – weithiau, mae dim ond cadw cwmni i rywun yn gallu gwneud iddo deimlo'n dda.)
3. Rhestrwch dri pheth posibl i wneud yr ystafell (sefydliadol) yn fwy pleserus. (Awgrym: gwnewch symudyn â chardiau cyfarch mae'r person wedi'u cael, a'i hongian, gweler t120.)
4. A oes rhywun arall yn yr ystafell sy'n cadw sŵn ac yn amharu ar yr un rydych chi'n gofalu amdano? Rhestrwch dair ffordd o liniaru hyn neu ei addasu. (Awgrym: cerddoriaeth, plygiau clust, sgrin ystafell.)
5. Rhestrwch dair ffordd o ddarparu cerddoriaeth i'r un sy'n gaeth i'r gwely mewn sefydliad lle mae pethau fel chwaraewr stereo personol yn aml yn 'diflannu'. (Awgrym: dewch â ffrind sy'n canu neu'n chwarae offeryn.)
6. Ydych chi'n adnabod rhywun sydd â sgìl a allai fod yn bleserus i rywun sy'n gaeth i'r gwely? Gwahoddwch ef neu hi draw. (Awgrym: iacháu amgen neu dylino'r corff.)
7. Pa sgìl hoffech chi ei ddysgu i wneud y person yn fwy cyfforddus neu i roi profiad dymunol iddo? (Awgrym: gweler cwestiwn 6.)
8. Rhestrwch dri cham bach hawdd i ddysgu un o'r sgiliau hyn. (Awgrym: chwiliwch am gyrsiau tylino sydd ar gael yn lleol.)
   a. Heddiw
   b. Yr wythnos yma
   c. Y mis yma

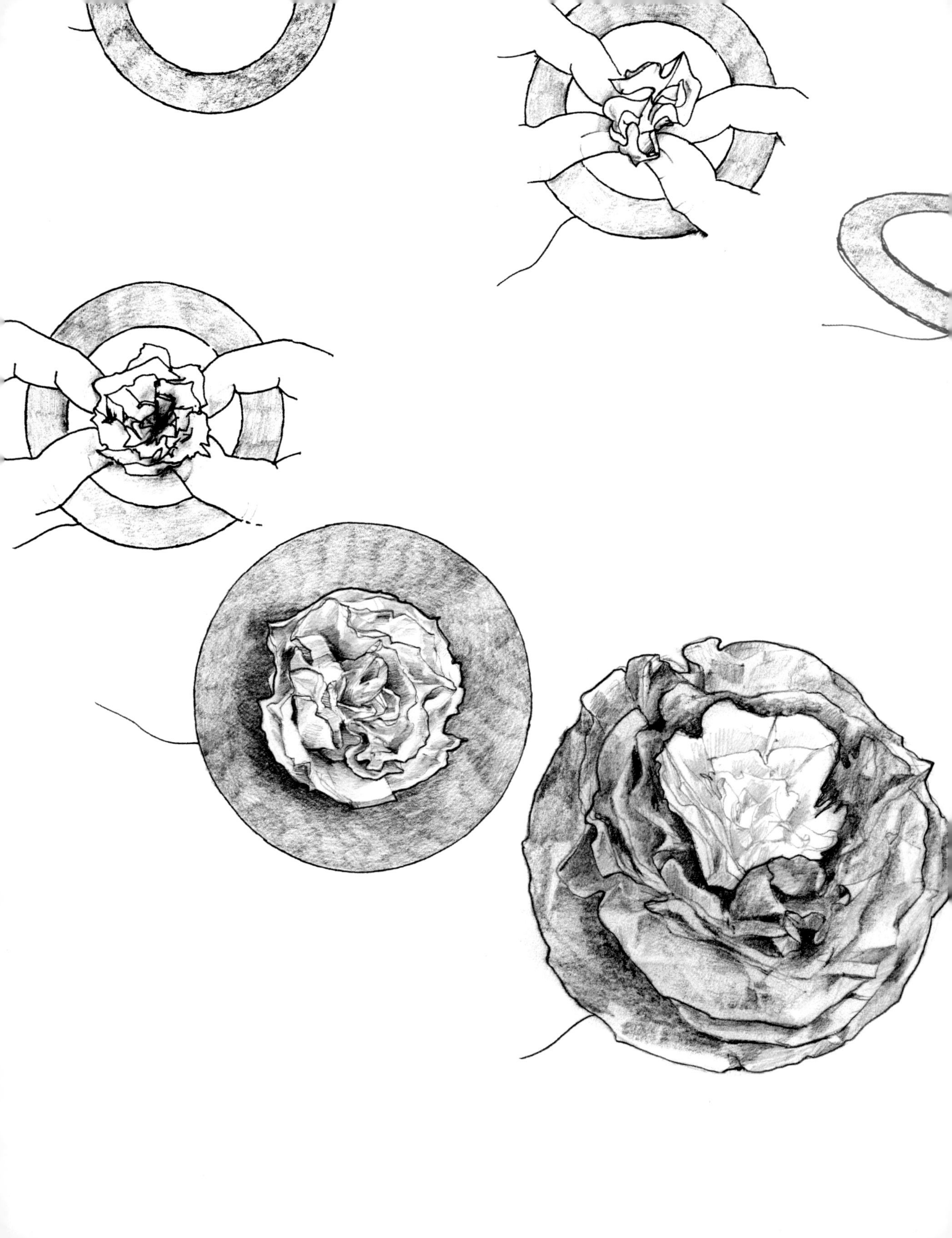

4

LLAWLYFR 100 O WEITHGAREDDAU

Cyflwyniad i'r llawlyfr 100 o weithgareddau

Os ydych chi wedi gweithio drwy'r llyfr fwy neu lai yn ei drefn ac wedi cyrraedd y man yma, mae'n siŵr fod gennych chi sylfaen dda erbyn hyn i ddatblygu eich gweithgareddau eich hun ac i'w harwain. Gobeithio eich bod chi wedi dysgu am eich gallu i feddwl yn greadigol, ac wedi gallu profi'r boddhad o weithredu hynny. Byddwch wedi darllen am raddio gweithgareddau, rhoi eich sylw'n llwyr i weithredoedd syml, cefnogi'r person ym mha sefyllfa bynnag y mae, a rhagor.

Os ydych chi wedi troi at yr adran hon i gael syniadau, byddwn i'n awgrymu eich bod yn gyntaf yn darllen y bennod ar fod yn greadigol (t16).

Roedd yr adran flaenorol, *Creu eich gweithgareddau eich hun*, yn cynnwys ymarferion i'ch annog chi i feddwl am eich syniadau eich hun mewn nifer o gategorïau cyffredinol.

Mae'r adran hon, y *Llawlyfr 100 o weithgareddau*, yn rhoi rhestrau o weithgareddau penodol, a chyfarwyddiadau cam wrth gam wedi'u darlunio i gyd-fynd â'r gweithgareddau.

Efallai y bydd y gweithgareddau yn yr adran hon yn ymddangos ar y dechrau yn rhy anodd i bobl â dementia. Ond nid dyna'u prif bwrpas. Mae gwneud rhywbeth hardd neu ymarferol (neu'r ddau!) yn ffordd ddymunol ac effeithiol o gadw cwmni i rywun. Os oes ganddo ddigon o ddiddordeb i helpu ychydig, mae'r gweithgaredd yn ennyn rhagor o'i ddiddordeb. Ac os bydd y pwnc neu'r deunyddiau yn denu ei sylw, mae'r daioni, fel cynnydd mewn hunan-barch, hyd yn oed yn fwy. (Hefyd, gweler *Graddio gweithgareddau* t48 a *Pwrpas a nodweddion gweithgareddau* t40.)

Nodyn am y mesuriadau a ddefnyddir yn y llyfr hwn:

Rhoddir y meintiau mewn centimetrau a modfeddi.

A4 yw maint safonol tudalen ar gyfer argraffu, copïo ac ati yn Ewrop. Defnyddir 8½" x 11" yn UDA. Mae'n bosibl defnyddio'r naill neu'r llall yn y llyfr hwn, er bod eu maint yn amrywio ychydig.

Dangosir trwch papur mewn gramau (g). Pwysau sylfaenol papur argraffu a chopïo yw 80g, ac mae 160g yn gerdyn trymach. Mae 120g rhwng y ddau ac yn haws i'w blygu na 160g.

Gweithgareddau a deunyddiau archwilio am ddim, rhad

Gall y syniadau symlaf fod y rhai mwyaf effeithiol, a does dim rhaid iddyn nhw fod yn ddrud iawn. Mae'r enghreifftiau canlynol yn eitemau/gemau cyffwrdd a gweld.

Un o'r gemau pen bwrdd mwyaf effeithiol a wnes i erioed oedd rhoi pethau ar gortyn. Chwaraeodd a siaradodd menyw yn fy ngrŵp i â'i chortyn hi am oriau, ac roedd hi'n gwrthod gadael iddo fynd o'i golwg. Cafodd hi ei symud i gartref arall sawl milltir i ffwrdd yn y pen draw, a phan es i ymweld â hi fisoedd yn ddiweddarach, roedd hi'n dal i siarad â'i 'thegan'. Edrychwch ar *Cortyn archwilio drwy gyffwrdd* ar y dudalen nesaf.

Bwriad llawer o'r gweithgareddau hyn yw apelio at fwy nag un synnwyr. Mae hyn yn cynyddu'r siawns o ennyn diddordeb. Er enghraifft, gweld a chyffwrdd yw prif nodweddion y *Cortyn archwilio drwy gyffwrdd*, ond mae clecio CDs neu dopiau poteli gyda'i gilydd yn ychwanegu elfen o sain. Mae'r *Tiwb darganfod* (t115) hefyd yn cynnwys sain gan fod modd ei ysgwyd fel offeryn i wneud i'r cynnwys glecian.

Mae cadw'r agwedd amlsynhwyraidd hon mewn cof yn beth da wrth feddwl am eich syniadau chi eich hun, neu wrth weithio gyda'r rhai sydd yn yr adran hon.

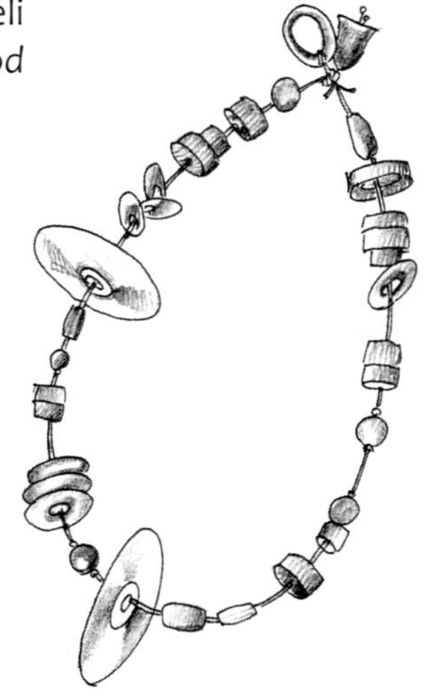

CORTYN ARCHWILIO DRWY GYFFWRDD

DEUNYDDIAU

tyllwr (sydd fel arfer yn cael ei ddefnyddio mewn gwaith lledr)

capiau poteli plastig, meintiau gwahanol (poteli sudd, olew coginio ac ati)

gleiniau pren mawr

cylchoedd pren

cortyn plastig neu neilon, neu linyn gwddf (± 1½m, 1½ llathen)

hen CDs

1 Gwnewch dyllau yn y capiau plastig, sy'n ddigon mawr i roi'r cortyn drwyddyn nhw.

2 Cymerwch ddarn o gortyn, a dechreuwch roi pethau amrywiol arno. Bydd angen clymu rhai i'w cadw yn eu lle. Gallwch adael y lleill i symud yn rhydd ar hyd y cortyn. Rhowch y capiau â'u harwynebau agored a chaeedig bob yn ail.
Pan fyddwch wedi gorffen, clymwch ddau ben y cortyn a thorrwch y darn sydd dros ben. Eich dewis chi fydd yr hyd terfynol.

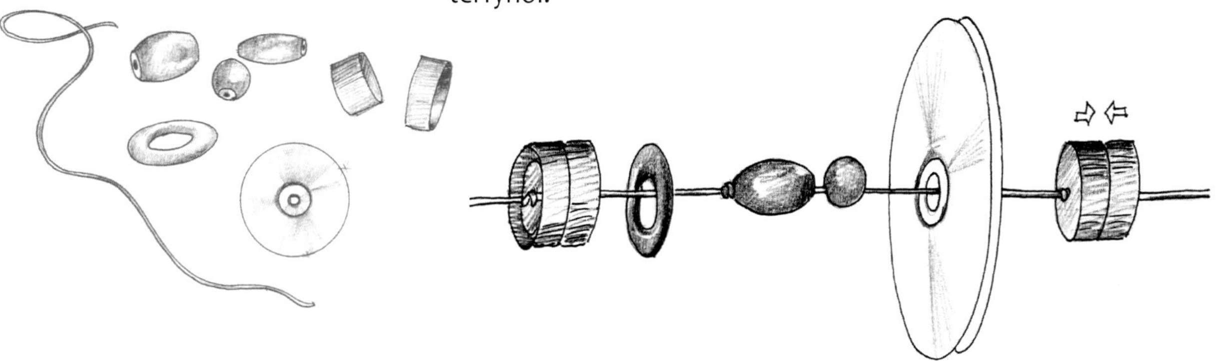

Awgrym: Meddyliwch am drefnu'r pethau i ysgogi syndod a darganfod. Er enghraifft, fe allwch chi osod y capiau fel eu bod nhw'n cuddio cap arall, llai, pan maen nhw'n agos at ei gilydd (yr arwynebau agored yn wynebu ei gilydd).

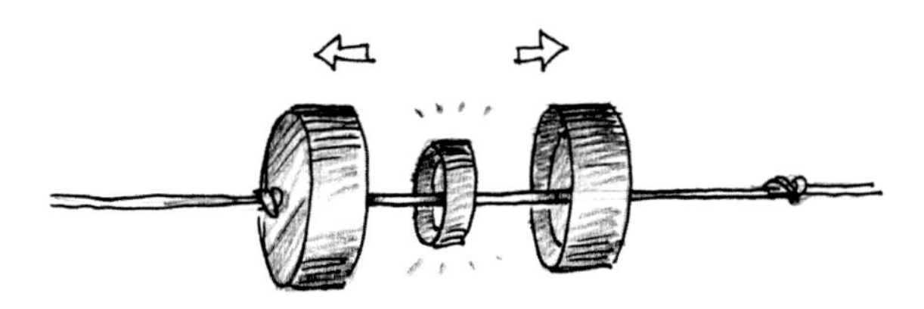

TIWB DARGANFOD

Addurnwch diwb cardbord postio â phapur glynu deniadol (arian neu gliter, er enghraifft). Gallwch roi pethau â theimlad deniadol y tu allan y tiwb, yn ogystal â rhoi pethau diddorol y tu mewn iddo er mwyn i'r person eu darganfod. Gallwch ysgwyd y tiwb hefyd i greu synau amrywiol, gan ddibynnu ar y cynnwys.

DEUNYDDIAU

tiwb cardbord postio 25cm/10" o hyd

darnau o ffabrig

rhubanau

papur glynu deniadol

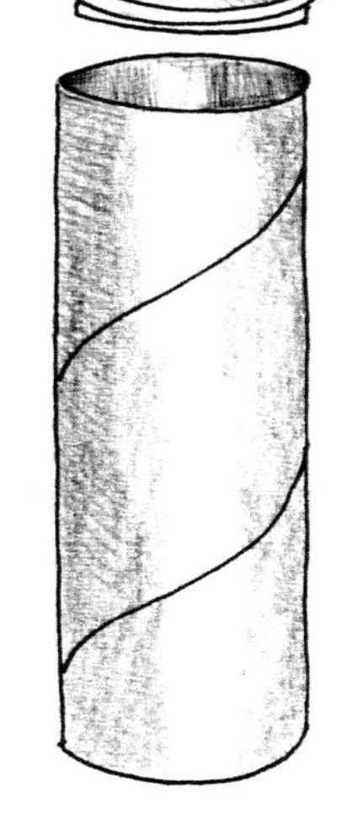

Awgrymiadau ar gyfer addurno tu allan y tiwb

- Gwnewch 'freichled' o elastig a chroen dafad neu unrhyw ddefnydd naturiol meddal a blewog. Mae'n bosibl ei roi ar y tiwb, yn ogystal ag ar arddwrn y person.
- Lapiwch gortyn llenni o gwmpas y tiwb a'i glymu'n llac er mwyn ei ddatod.
- Rhowch sawl band rwber trwchus o gwmpas y tiwb.

Awgrymiadau ar gyfer pethau i'w rhoi yn y tiwb

- Hen allweddi ar gadwyn
- Pêl fach i ymarfer y dwylo
- Bagiaid o ddarnau arian
- Ffurfiau pren llyfn ar gortyn (peidiwch â defnyddio teganau sy'n amlwg yn deganau babanod).

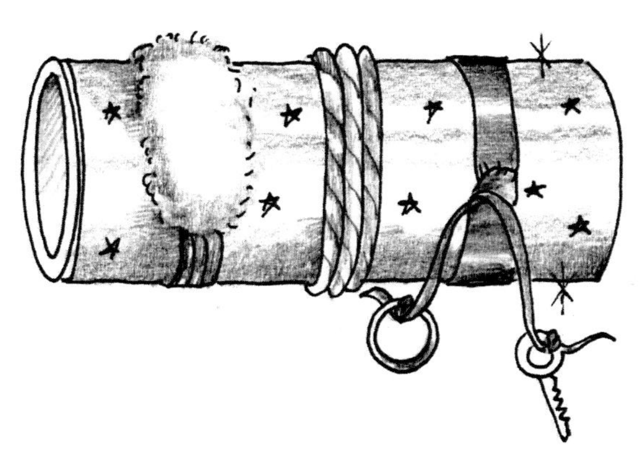

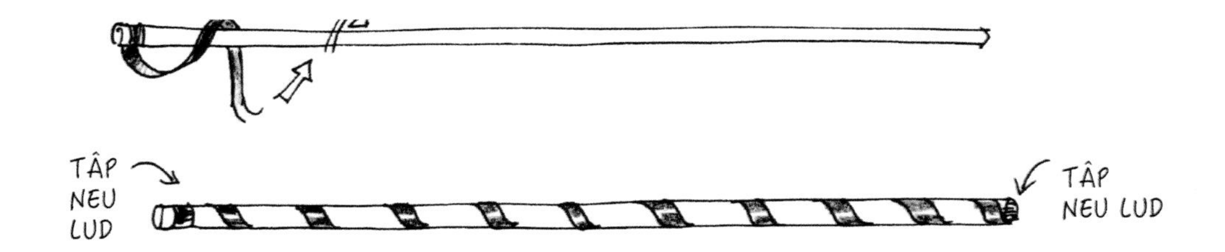

FFON HUD CERDDORIAETH A SYMUD

1 Lapiwch dâp deniadol am ffon fambŵ neu hoelbren.

DEUNYDDIAU

hoelbren neu ffon fambŵ, 30cm/12", o leiaf

tâp deniadol

rhubanau

tâp glynu

glud

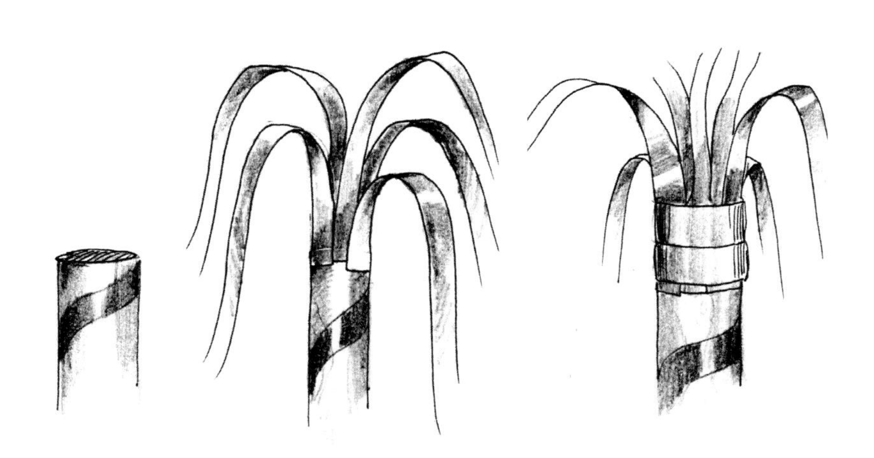

2 Clymwch rubanau amryliw wrth ben y ffon â thâp neu lud.

Defnyddiwch y ffon hud gyda'ch gilydd i gadw amser i gerddoriaeth; ewch â hi allan ar ddiwrnod gwyntog; neu defnyddiwch hi mewn grŵp i wneud symudiadau mawr, gosgeiddig gyda'ch breichiau, gyda cherddoriaeth neu hebddi.

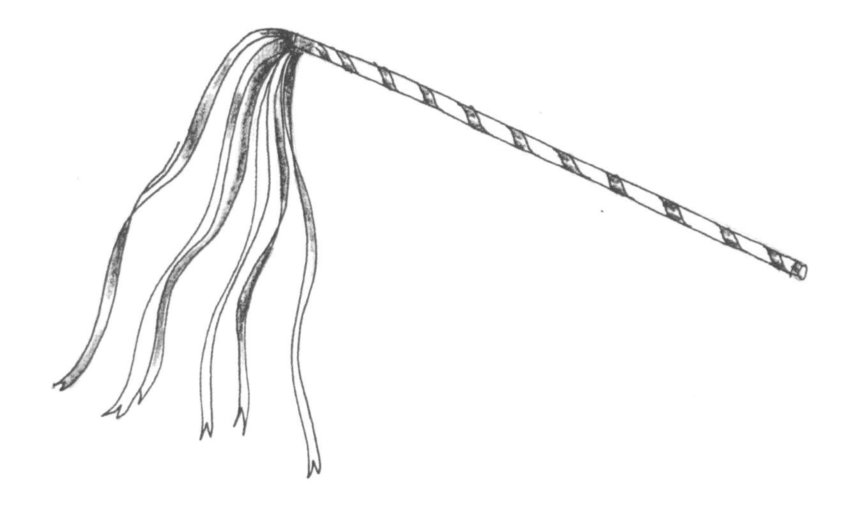

CADACH MEDDAL

Gallwch ddefnyddio cadach â phatrwm diddorol i sychu'r bwrdd, i dynnu llwch neu gallai fod yn fath o gysurwr iddi.

PELI MEDDAL

Mae nifer o'r rhain ar gael mewn deunyddiau amrywiol. Gellir eu rholio ar draws y bwrdd o'r naill i'r llall. Neu eu taflu i mewn i fwced sydd ar y llawr neu ar y bwrdd, fel mewn pêl-fasged. Neu eu defnyddio i chwarae dal pêl.

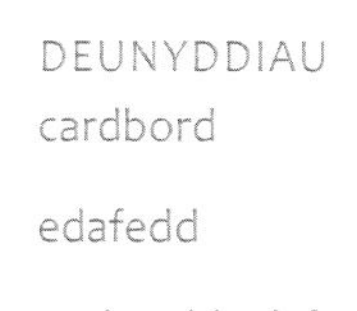

POMPOM GWLANOG

DEUNYDDIAU
cardbord
edafedd
nodwydd edafedd
siswrn
(olew hanfodol)

1 Torrwch ddau gylch cardbord (cylch allanol ±9 cm/3½", cylch mewnol ±3cm/1¼").

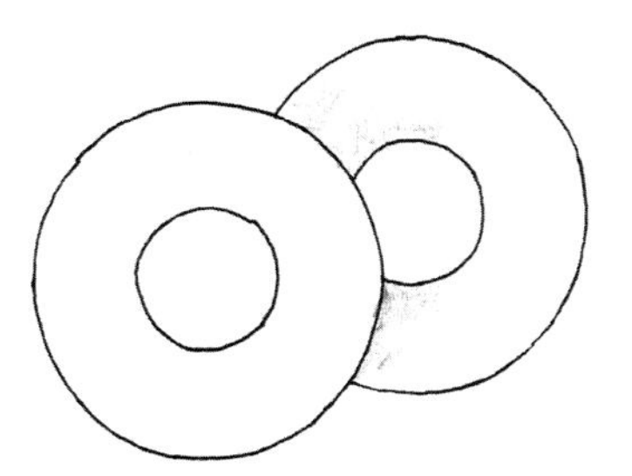

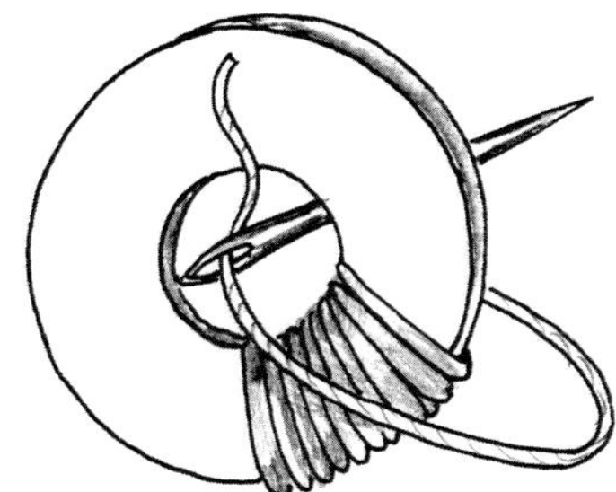

2 Rhowch edafedd drwy nodwydd edafedd a'i lapio o gwmpas y ddau gylch yn eithaf trwchus nes bod y twll yn y canol bron yn llawn.

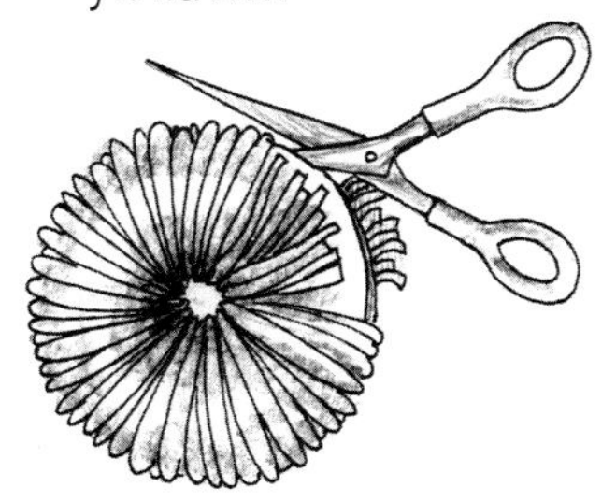

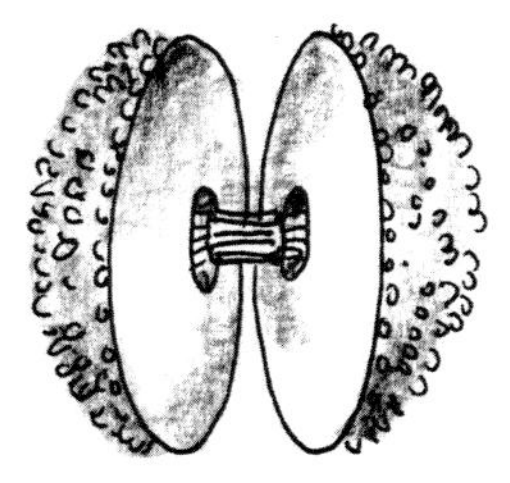

3 Rhowch flaen y siswrn rhwng y ddau gylch a thorrwch yr edafedd ar draws y bwlch tenau sydd rhyngddyn nhw. Rhowch ddarn o edafedd ddwbl rhwng y ddau gylch, fel y dangosir, a'i glymu. Tynnwch y cylchoedd cardbord i ffwrdd yn ofalus (weithiau mae'n rhaid eu torri nhw).

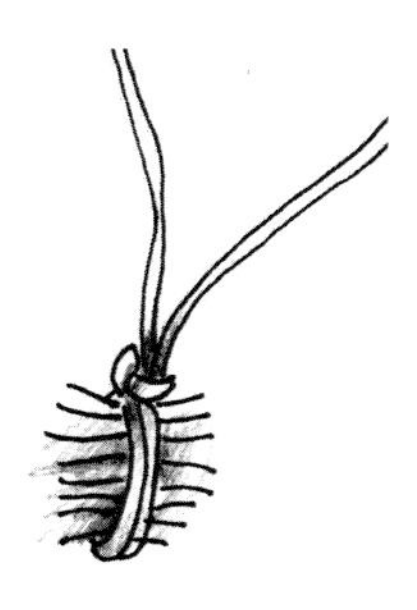

Gwnewch un o'r rhain gyda'ch gilydd a'i ddefnyddio fel pêl feddal neu degan anwesu. Gallwch roi arogl da iddo drwy ychwanegu ychydig ddiferion o olew hanfodol, fel olew rhosyn neu fanila.

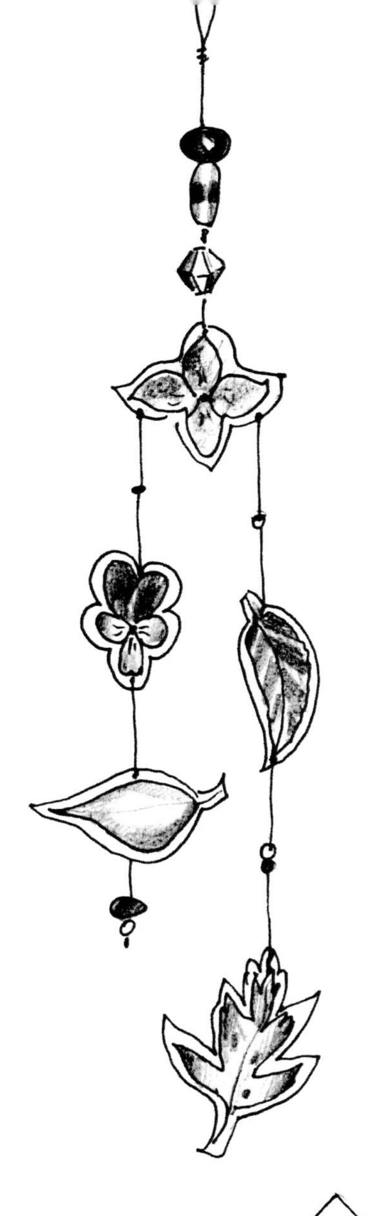

I'w gwneud ar gyfer yr ystafell

Mae'r rhain hefyd yn weithgareddau am ddim/rhad y gallwch eu gwneud gydag unigolion neu mewn grŵp, ond rydw i yn eu gwneud yn aml i bobl sydd wedi colli eu sgiliau gwneud pethau â llaw. Mae'r canlyniadau'n llonni pob ystafell, ac maen nhw'n arbennig o addas fel gweithgaredd tawel i'w wneud wrth eistedd gyda phobl sy'n gaeth i'w gwely. Gallwch hongian, tapio, pinio neu wnïo symudion ac addurniadau ar lenni, nenfydau, polion arllwysiad mewnwythiennol (IV: *intravenous*), hysbysfyrddau ac ar arwynebau eraill.

Ceisiwch bersonoli'r rhain gymaint â phosibl; er enghraifft, rhoi tagiau enw deniadol ar symudyn neu ddefnyddio hoff liwiau, arogleuon neu luniau'r person.

RHUBANAU A SYMUDION BLODAU

Rhowch flodau neu ddail sych rhwng plastig hunanadlynol clir ac asetad lled drwm (gallwch ei brynu, neu ei dorri o ddeunydd pacio llysiau archfarchnad). Torrwch dyllau yn y top ac yn y gwaelod a rhowch edau drwyddo, fel y gwelwch chi ar y chwith.

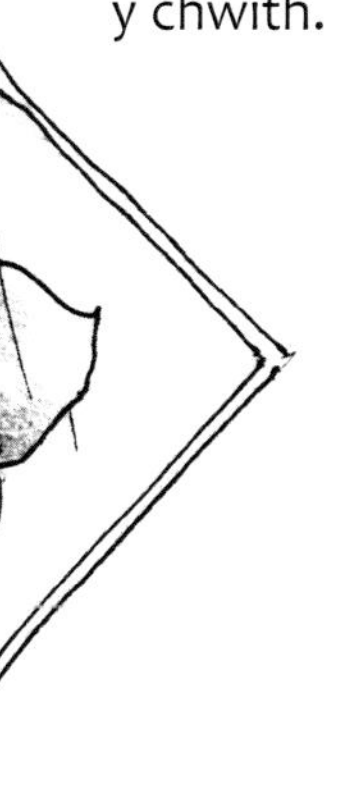

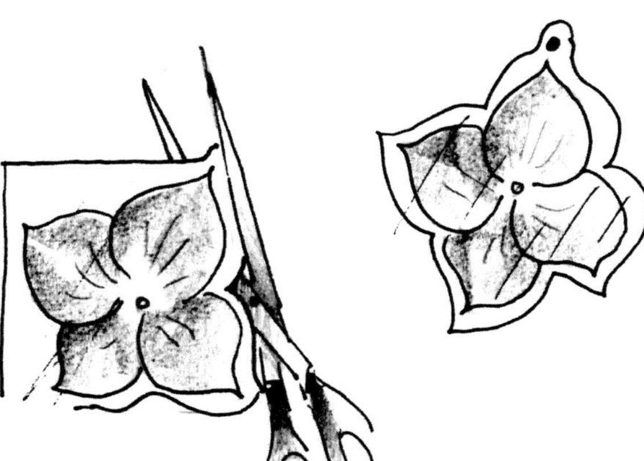

MANDALÂU BACH

Gallwch baratoi dyluniadau crwn neu addurniadau eraill a'u hongian yn yr un ffordd â'r rhubanau blodau. Gweler *Mandalâu* (t162).

BAGIAU *POT-POURRI*

I wneud bagiau *pot-pourri* syml:

1 Torrwch gylchoedd ffabrig. Defnyddiwch siswrn pincio i greu ymylon deniadol.

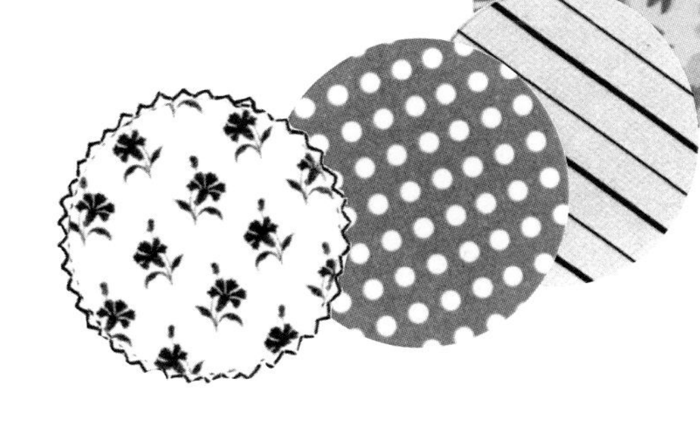

2 Gwnïwch o gwmpas yr ymyl mewn pwyth rhedeg hir, sawl milimetr i mewn ohono.

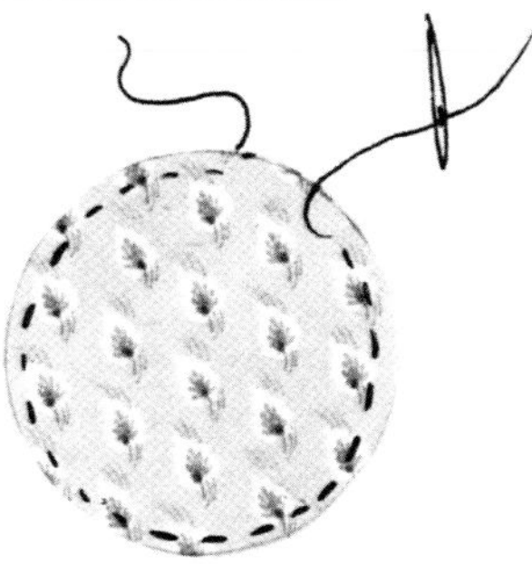

3 Tynnwch y pwythau at ei gilydd, a llenwch y bag â *pot-pourri.* Gallwch hongian y rhain mewn clystyrau persawrus.

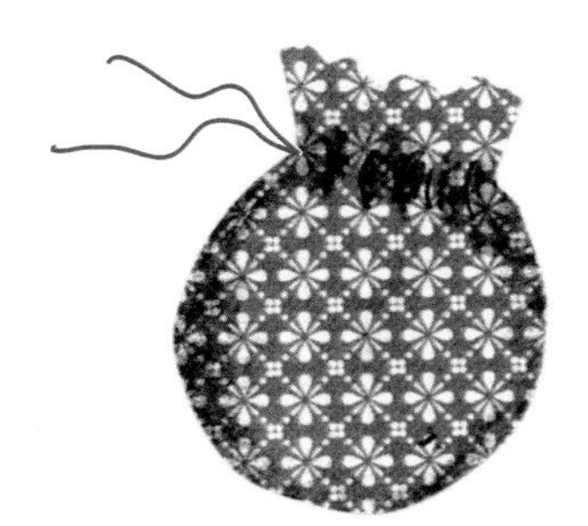

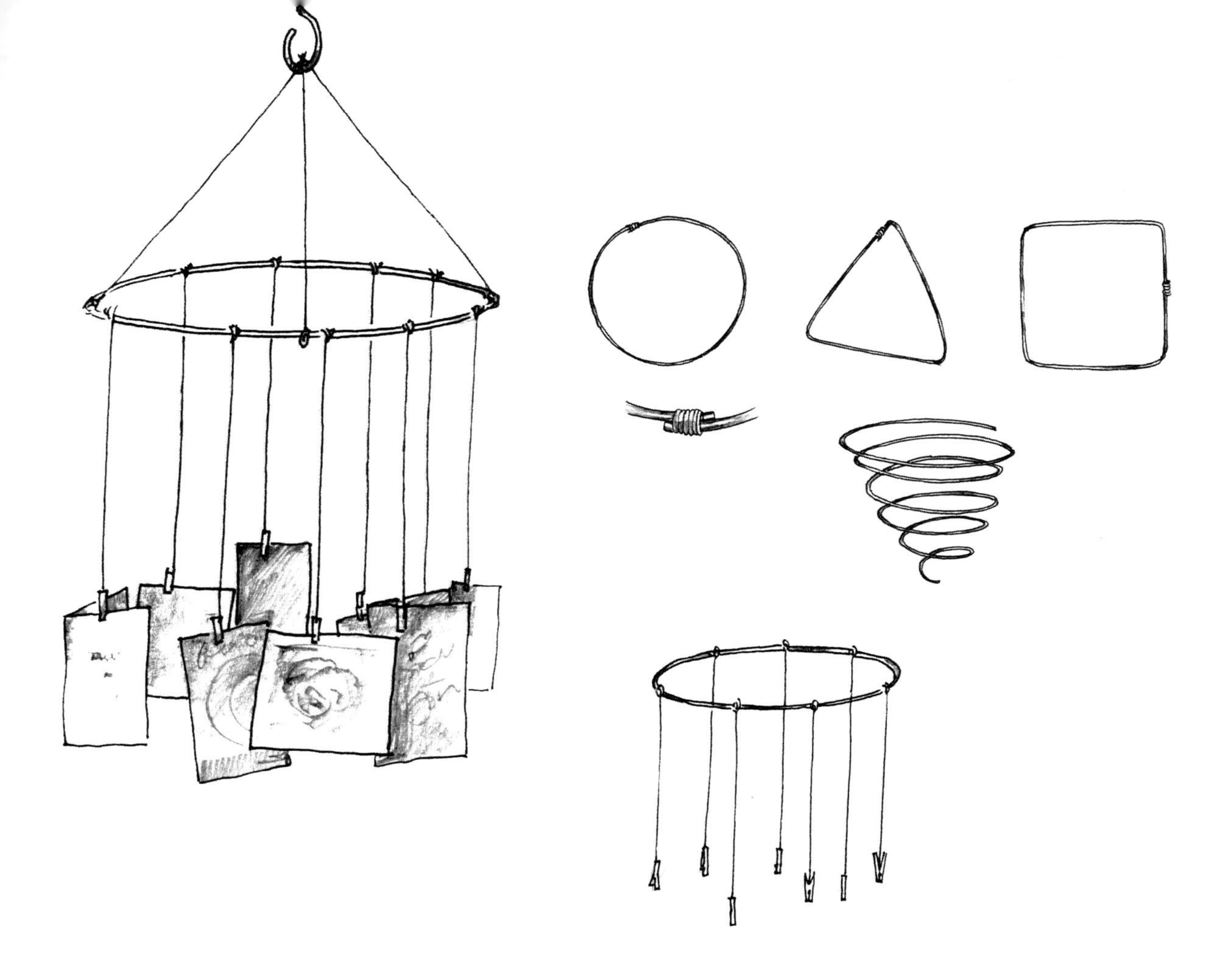

DEUNYDDIAU

gwifren drwchus

gwifren denau

edau neu gortyn

clipiau papur neu begiau dillad bach

gefail i blygu'r wifren

SYMUDYN CARDIAU

Rydw i'n gwneud symudion cardiau oherwydd bod hysbysfyrddau wedi'u gosod tu ôl i welyau pobl. Felly maen nhw'n methu eu gweld, yn enwedig os yw'r bobl yn gaeth i'w gwely. Y bwriad yw eu hongian uwchben gwaelod y gwely.

Defnyddiwch y wifren drwchus a gwnewch gylch neu ffurf arall (±24 cm/9½"). Os hoffech chi, addurnwch y wifren drwy lapio papurau lliw, rhubanau neu gortyn amdani. Rhowch gortyn neu edau ar wahân (edau brodwaith neu gortyn deniadol) ar y wifren bob hyn a hyn, fel y mae'r llun yn ei ddangos. Cysylltwch begiau dillad bach wrth ben pob cortyn, a chlipiwch gardiau arnyn nhw. Os nad yw'r un rydych chi'n gwneud hwn iddo yn cael cardiau, gofalwch ei fod yn cael rhai!!

FFURFIAU 'GWYDR LLIW'

Defnyddiwch bapur du trwm (neu unrhyw liw arall os hoffech) a phapur sidan neu bapur barcud ar gyfer y 'gwydr'.

DEUNYDDIAU

papur du neu liw, 120g neu'n drymach

papur sidan neu bapur barcud mewn lliwiau amrywiol

pensil gwyn

cyllell grefft

siswrn

glud

edau i'w hongian

1 Plygwch y papur du yn ei hanner a gwnewch batrwm arno â phensil gwyn.

2 Torrwch y patrwm drwy'r ddau ddarn o bapur trwchus â chyllell grefft.

3 Agorwch y papur a gludwch ddalen o bapur tryloyw rhwng y ddwy haen.

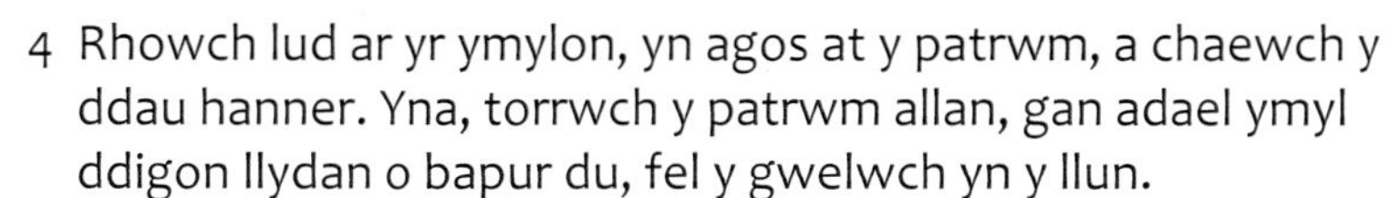

4 Rhowch lud ar yr ymylon, yn agos at y patrwm, a chaewch y ddau hanner. Yna, torrwch y patrwm allan, gan adael ymyl ddigon llydan o bapur du, fel y gwelwch yn y llun.

Rhowch y ffurf, neu ei hongian, wrth ymyl lamp neu ffenest lle bydd y golau'n sgleinio drwy'r papur sidan.

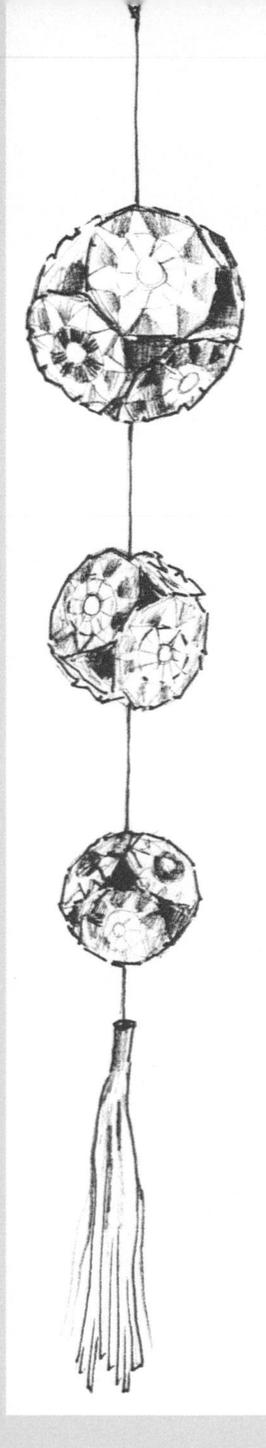

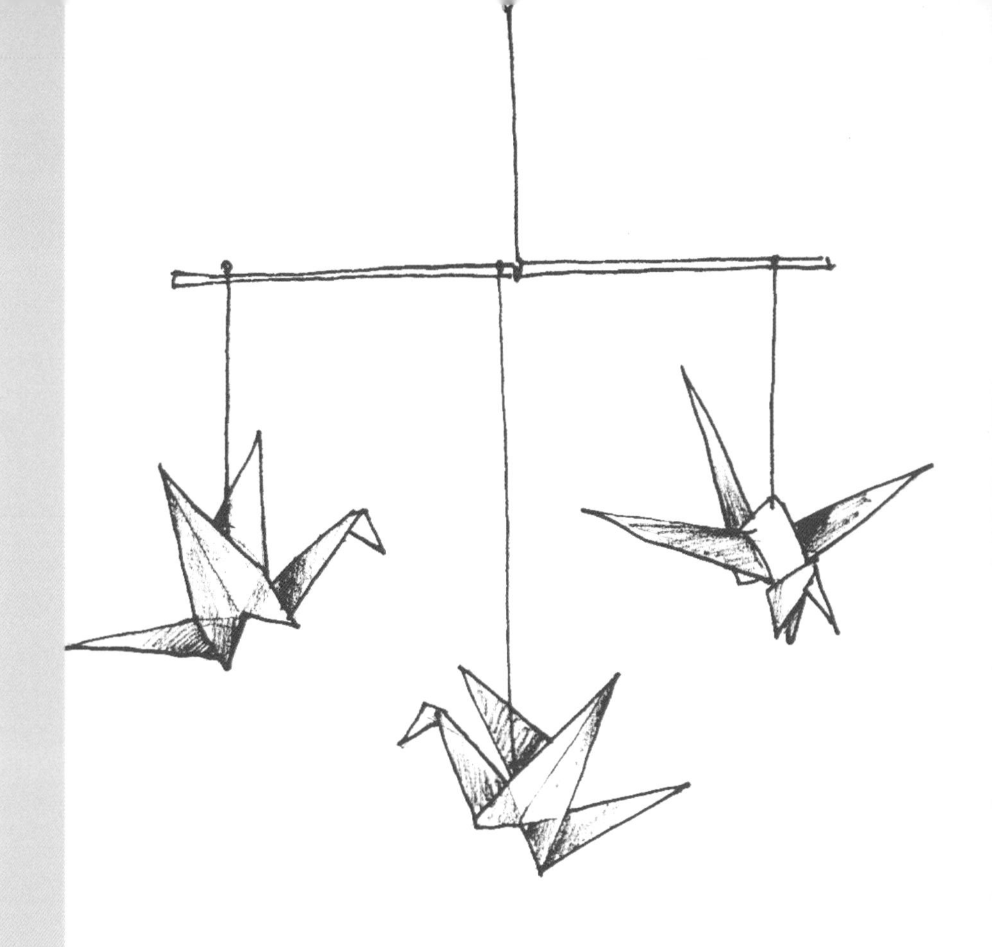

ADAR ORIGAMI A *KUSUDAMAS*

Edrychwch mewn llyfr crefft neu ar-lein am gyfarwyddiadau ar gyfer gwneud anifeiliaid origami neu ffurfiau geometrig. Gwnewch symudyn o'r darnau gorffenedig.

COLLAGE LLUNIAU

Mae hwn yn ddeniadol ar wal neu hysbysfwrdd. Dewiswch thema: trip neu wyliau, yn y tŷ a'r ardd ac o'u cwmpas, neu ffrindiau, ac ati.

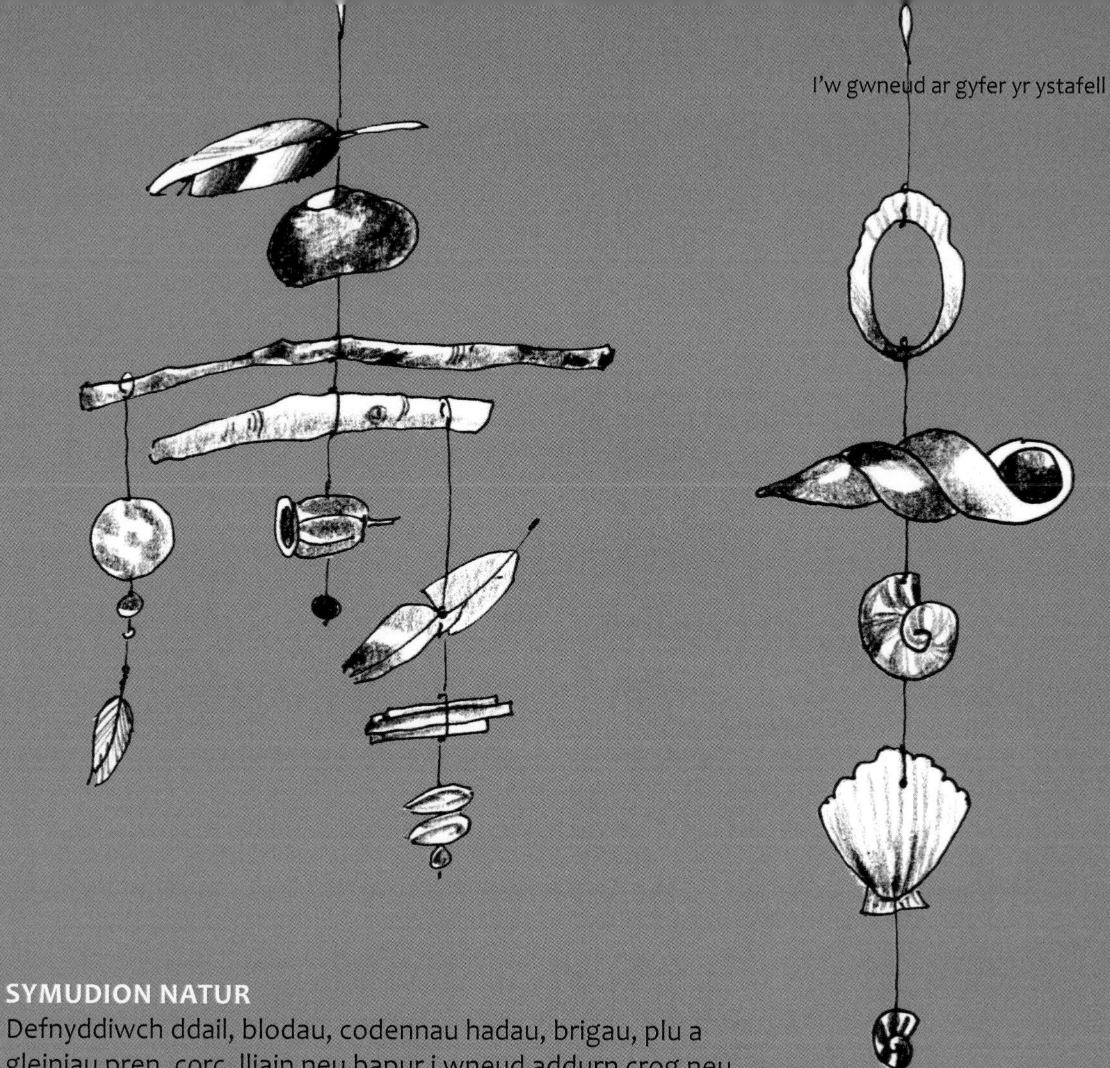

SYMUDION NATUR

Defnyddiwch ddail, blodau, codennau hadau, brigau, plu a gleiniau pren, corc, lliain neu bapur i wneud addurn crog neu symudyn.

CYSGODLUN NEU SILWÉT ENW

Gweler *Llythrennau ac ysgrifennu* (t144) am gyfarwyddiadau.

Blodau papur i addurno lampau, polion IV, llenni, hysbysfyrddau, cadeiriau olwyn, ac ati

BLODYN CRYCH

DEUNYDDIAU

nodwydd neu fynawyd i wneud tyllau

gwifren denau i wneud y coesyn

papur sidan mewn lliwiau amrywiol

siswrn

pensil

gefail gyda blaen nodwydd (dewisol)

1 Torrwch ddau gylch o gardbord i'w defnyddio fel patrymau, y naill â diamedr 8cm/± 3¼", a'r llall â diamedr 10cm/±4".

2 Plygwch bapur sidan lliw golau nes bod gennych chi chwe haen. Tynnwch linell gron gyda'r cylch cardbord 8cm ar y papur sidan sydd wedi'i blygu, a thorrwch drwy bob haen.

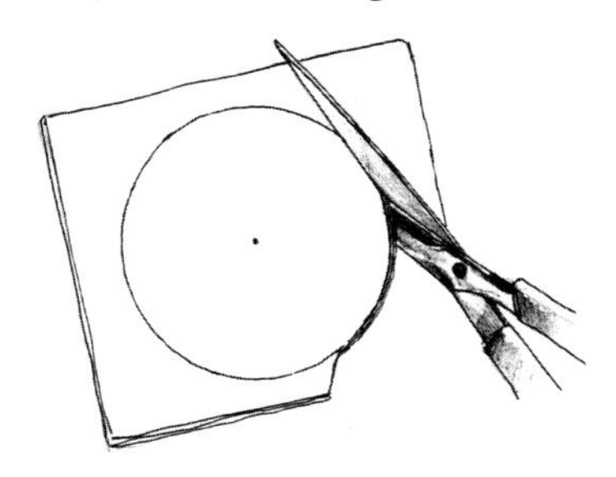

3 Gwnewch hyn eto gyda phapur sidan lliw tywyllach a'r cylch cardbord 10cm. Bydd gennych chi ddau bentwr o gylchoedd erbyn hyn, a chwe haen o bapur yn y ddau.

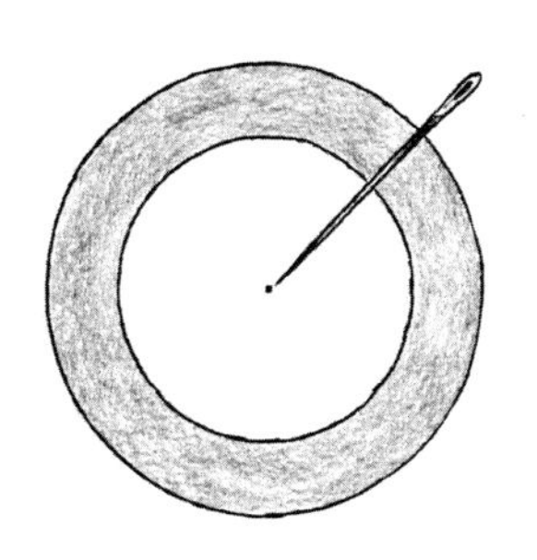

4 Rhowch y cylchoedd ar ben ei gilydd – y rhai lleiaf ar ben y rhai mwyaf, a gwnewch dwll yn y canol gyda nodwydd. Tynnwch ddarn o weiren drwyddo (tua 14 cm/5½") gan wneud torch yn un pen ohoni gyda gefail fel na fydd y cylchoedd papur yn cwympo oddi arni.

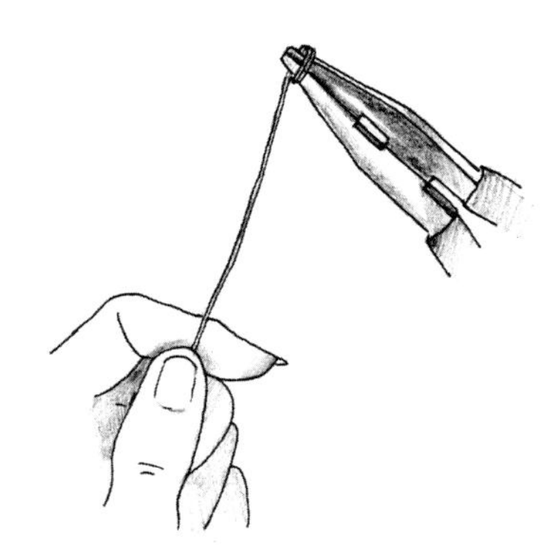

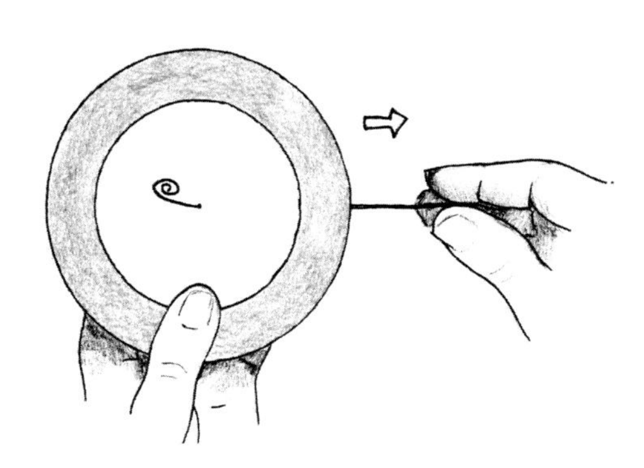

5 Gwnewch dorch o'r wifren ar du ôl y blodyn, fel isod, i ddal yr holl haenau yn eu lle.

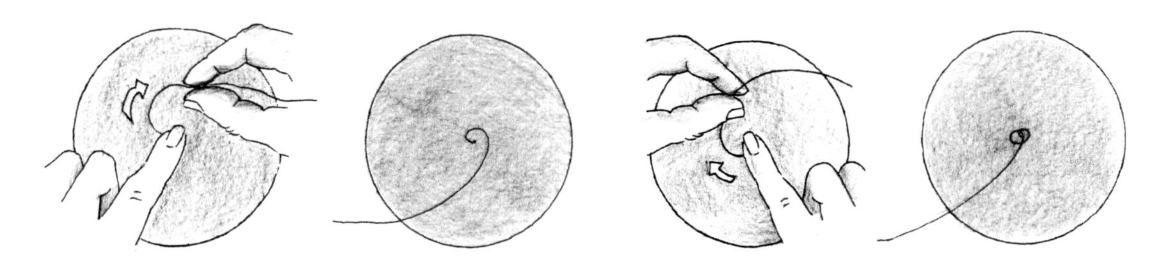

6 Trowch y blodyn drosodd er mwyn i'r cylch bach fod yn y golwg, fel isod, a dechreuwch grychu'r 'petalau' fesul un, heb fod yn rhy dynn nac yn rhy lac. Peidiwch â phoeni os yw'ch blodyn chi yn edrych yn wahanol i'r un yn y darlun; mae blodyn pawb yn wahanol.

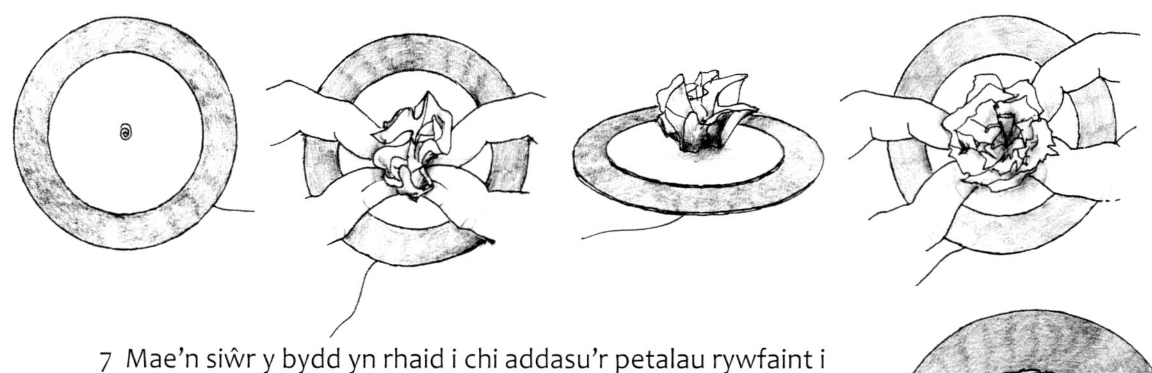

7 Mae'n siŵr y bydd yn rhaid i chi addasu'r petalau rywfaint i gael blodyn sy'n edrych yn llawn. Gwahanwch y 'petalau' os ydyn nhw wedi'u gwasgu'n rhy dynn. Efallai y bydd yn rhaid crychu'r petalau i'w gwneud yn dynnach, os ydyn nhw'n llac.

Gweithgareddau'n seiliedig ar broffesiynau blaenorol

Rhaid bod yn ofalus wrth gynnig gweithgareddau sy'n seiliedig ar swydd flaenorol. Fe allai fod yn amlwg i ni y byddai menyw a oedd yn wniadwraig yn mwynhau dal nodwydd ac edau eto, ond dydi hyn ddim yn wir bob tro. Yn aml, mae hi'n gallu teimlo rhwystredigaeth wrth gael ei hatgoffa o'r hyn roedd hi'n arfer ei wneud yn dda, gan fod ei galluoedd wedi dirywio. Fodd bynnag, deliwch â hyn yn anuniongyrchol drwy ganolbwyntio ar ddefnyddiau a synwyrusrwydd, yn hytrach nag ar dasgau a gwrthrychau.
Roedd cyn-wniadwraig yn fy ngrŵp i yn y cartref. Cynigiais ddefnyddiau amrywiol iddi, ac roedd hi'n ymddangos yn hapus o'u gweld nhw.
Er nad oedd hi'n gwnïo, roedd hi'n gweithio gyda'r defnyddiau yn ei ffordd hi ei hun drwy lyfnhau darnau o ffabrig yn ei chôl dro ar ôl tro, er enghraifft.

Dyma rai awgrymiadau am weithgareddau sydd â rhyw fath o gysylltiad â meysydd gwaith blaenorol:

RHEOLWR NEU SWYDD ARALL O AWDURDOD

Ceisiwch gynnwys y person mewn trafodaethau sy'n ymwneud â phenderfyniadau; gadewch iddo wylio'r cyfarfodydd os yw hynny'n addas. Gofalwch eich bod yn ei drin â'r un parch â phetai'n dal i fod yn rheolwr. Os yw mewn cartref nyrsio, chwiliwch am ffyrdd iddo roi ei farn ar redeg ei adran. Gwnewch glipfwrdd iddo.

YSGRIFENNYDD, GWEITHIWR SWYDDFA

Rhowch offer swyddfa i'r person. A allai ateb galwadau mewnol ar y ffôn weithiau? Rhowch dasgau bach iddo, fel llenwi amlen neu roi cyhoeddiad ar hysbysfwrdd. Edrychwch ar Ffolder swyddfa ar y dudalen nesaf.

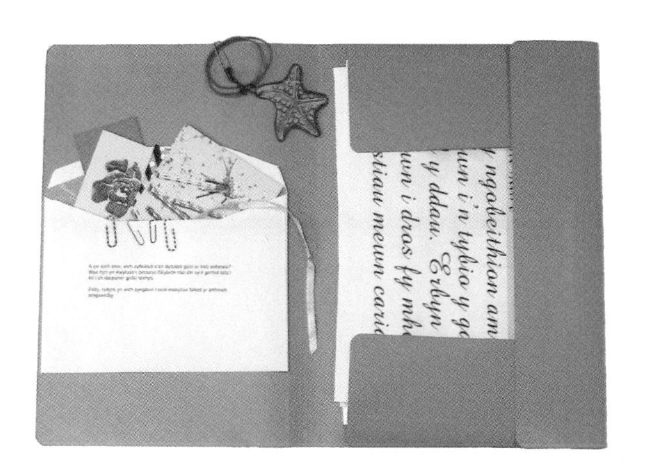

FFOLDER SWYDDFA: Llenwch hen lyfr nodiadau neu ffolder â phapurau swyddogol yr olwg. Ychwanegwch ddeunyddiau ysgrifennu, a phocedi darganfod. Roedd yr un a wnes i ar gyfer Mrs van D yn cynnwys hen dagiau anrheg deniadol, dyluniadau print bloc, cardiau samplau paent, tudalennau ymarfer caligraffeg, cardiau gliter a rhubanau, sticeri, a deunyddiau eraill oedd gen i yn fy stiwdio. Ysgrifennwch enw'r person ar flaen y ffolder, ac addurnwch fathodyn a'i enw arno iddo'i wisgo. (Gweler stori t43–44 hefyd.)

ATHRO/ATHRAWES

Rhowch fwrdd sialc, sialc, papur glân, llyfr nodiadau, pensiliau a miniwr iddo. Dewch â phensiliau iddo'u minio'n gyson. Tacluswch yr ystafelloedd offer neu ddroriau'r ystafelloedd offer gyda'ch gilydd. Edrychwch i weld a yw'r person yn dangos diddordeb mewn mapiau neu werslyfrau. Gofynnwch am ei help i wneud tasg syml, fel gwneud tyllau mewn papur. Neu gofynnwch am ei gyngor ar rywbeth rydych chi'n gwybod ei fod yn ei wybod.

TRYDANWR, PLYMWR

Rhowch offer, peipiau a gwifrau wedi'u gorchuddio â phlastig iddo. Mae modd gosod tiwbiau plastig mawr penodol gyda'i gilydd mewn ffyrdd gwahanol fel gêm. Rhowch declyn iddo'i dynnu'n ddarnau neu ei drwsio. Gofynnwch ei farn am wahanol offer neu ddarnau.
Gallai stripio gwifrau copr gyda theclyn stripio gwifrau neu eu torri'n ddarnau bach fod yn foddhaol. Gallai fod yn greadigol wrth blygu gwifrau yn siapiau gwahanol.

GWNIADWRAIG

Rhowch ddefnyddiau, nodwyddau, mathau gwahanol o edau, a darnau o ddefnydd iddi. Gwnewch brosiectau syml, fel trwsio dillad, gwnïo botymau neu wneud dillad doli. Neu gadewch iddi chwarae â'r defnyddiau neu eu trefnu.

> **Gwnewch fagiau *pot-pourri* syml (t119):**
> Torrwch gylchoedd ffabrig. Gwnïwch yr ymyl mewn pwyth rhedeg hir, sawl milimetr i mewn ohono, tynnwch y pwythau at ei gilydd, a llenwch y bag â *pot-pourri*. Gallwch hongian y rhain wrth ymyl y gwely, o bolion IV, mewn cwpwrdd, neu mewn cornel yn yr ystafell.

ACTOR NEU BERFFORMIWR ARALL

Dewch â dillad a cholur iddo sy'n addas i ddrama – tynnwch ei lun, a rhowch gyfle iddo berfformio. Rhowch ar fwrdd luniau diweddar ohono yn ei ddillad perfformio a'i golur.

ARTIST

Rhowch ddeunyddiau iddo a lle iddo weithio ynddo. Os yw ei hen dechneg yn gwneud iddo deimlo'n rhwystredig, efallai y gallai cyfrwng newydd weithio – yn hytrach na pheintio, rhowch gynnig ar gerflunio neu *collage*. Dewch â lluniau a llyfrau celf, cylchgronau a fideos iddo, a thrafodwch ddarluniau neu edrychwch arnyn nhw gyda'ch gilydd. Ewch i amgueddfa gyda'ch gilydd. Gwnewch gêm Cofio gan ddefnyddio lluniau o waith celf enwog.

NYRS, DOCTOR, SWYDD FEDDYGOL ARALL

Ceisiwch ei gynnwys mewn trafodaethau syml am driniaeth. Gofynnwch iddo ddal rhwymynnau neu helpu mewn rhyw ffordd arall mewn triniaethau arferol. Gadewch iddo roi trefn ar focs neu ddrôr cymorth cyntaf.

ADEILADWR, LABRWR

Rhowch bethau mawr iddo'u cario a'u pentyrru. Gallai ddal ati i fod yn weithgar drwy gerdded, neu ddawnsio neu symudiad arall, efallai. Rhowch bethau iddo'u gwneud â'i ddwylo gan ddefnyddio pren, carreg neu glai.

DYLUNYDD TIRLUNIO, GARDDWR

Gwnewch ardd fach iddo, neu ardd o dan wydr, i ofalu amdani pryd bynnag y mae'n cael yr awydd. Gofalwch am bysgod mewn acwariwm. Gwnewch fân dasgau fel ailblannu planhigion, tocio a hau y tu mewn. Gwnewch yr un peth mewn tŷ gwydr neu'r tu allan os yw'r tywydd yn braf.

Ysgrifennu barddoniaeth

Mae'r bennod hon yn barhad o *Ysgrifennu creadigol ar y cyd* (t96). Mae cyfuno sgìl fel ysgrifennu barddoniaeth â rhywun sydd â phroblemau gwybyddol fel petai'n mynd yn groes i'r graen. Fodd bynnag, mae prosiectau barddoniaeth sy'n ymwneud â phobl â dementia wedi bod yn llwyddiannus ac yn dod yn fwy cyffredin.

Gan ddefnyddio llyfr Kenneth Koch, *Teaching poetry writing to old people* fel canllaw, byddwn yn arwain sesiynau ysgrifennu barddoniaeth cyson gyda fy ngrŵp. Weithiau, roedd y sesiynau'n ysbrydoledig ac yn gynhyrchiol, ac weithiau heb fod mor llwyddiannus. Rhai o'r ffactorau a allai benderfynu'r llwyddiant ar ddiwrnod penodol oedd hwyl yr unigolyn, ei barodrwydd i roi cynnig ar rywbeth anghyfarwydd, a fy ysbrydoliaeth i.

Wrth ysgrifennu cerddi, byddai pobl yn darganfod pethau cudd amdanyn nhw'u hunain;

wrth ysgrifennu cerddi, byddai'r rhain yn troi'n gelfyddyd.
Koch (1997)

Fodd bynnag, rydw i wedi gweld bod pobl sydd yng nghyfnodau datblygedig dementia, hyd yn oed, yn sôn digon am bwnc i mi allu nodi eu geiriau a'u darllen yn ôl iddyn nhw ar ffurf farddonol os oeddwn i'n eu hannog nhw'n amyneddgar.

Yn aml, byddwn i'n dechrau gyda thestun awgrymog, fel 'fy hoff liw', ac yn gofyn i'r unigolion ddefnyddio enw'r lliw hwn ym mhob llinell o'u cerdd. Os oedden nhw'n cael trafferth meddwl am liw, byddwn i'n gadael iddyn nhw ddewis lliw gwrthrychau neu un o'r papurau lliw gwahanol oedd o'u blaenau nhw.

Un enghraifft gan Mrs B:

Mae gwres mewn coch
Rwy'n caru coch
Mae coch yn groch!

Mae'n bwysig dehongli'r syniad o 'gerdd' yn llac. Does dim rhaid cael rhythm na mesur penodol. Yn debyg i *Ysgrifennu creadigol ar y cyd* (t96) sy'n seiliedig ar waith John Killick, gofynnais gwestiynau arweiniol, gan ychwanegu at yr atebion gyda sylwadau yn eu cadarnhau, neu drwy ofyn rhagor o gwestiynau. Nodais bopeth roedd y person yn ei ddweud. Wedyn, roeddwn i'n ei gynnwys yn y broses o gyfansoddi'r llinellau drwy ddarllen ei eiriau a gofyn iddo gytuno â sut roeddwn i wedi torri'r llinellau.

Gallwch weithio'n unigol neu ysgrifennu cerddi ar y cyd. Awgrymwch thema mewn grŵp fel 'fy nghartref pan oeddwn i'n blentyn'. Gofynnwch i bawb yn ei dro ychwanegu brawddeg. Darllenwch y gerdd wrth iddi dyfu, ac eto ar y diwedd.

Mae'r syniadau isod yn dod o lyfr Kenneth Koch, *Teaching poetry writing to old people* (Koch 1997).

DECHREUWCH GYDA GAIR AWGRYMOG

Dewiswch enw lliw, er enghraifft, a'i ailadrodd ym mhob llinell. Gofynnwch gwestiynau arweiniol: 'Beth yw eich hoff liw? Am beth mae coch yn gwneud i chi feddwl? Ydych chi erioed wedi cael esgidiau neu het goch? Sut deimlad oedd eu gwisgo nhw?' Dilynwch eu hawgrymiadau a nodwch yr hyn y maen nhw'n ei ddweud.

DYCHMYGWCH MAI CHI YW...

Er enghraifft, 'Dychmygwch mai chi yw'r cefnfor'. Dechreuwch bob llinell gyda

'Y cefnfor ydw i...
'Y cefnfor ydw i ac rydw i'n rhedeg i mewn ac allan...
'Y cefnfor ydw i, rydw i'n enfawr...
'Y cefnfor llawn halen ydw i...

Testunau posibl eraill: *Y ddinas yn y nos, y goedwig, yr awyr, yr afon, yr anialwch, y mynydd, y graig, y teigr, y gath, yr aderyn, y dolffin* 'ydw i'...

DEWCH Â PHETHAU I'W HYSBRYDOLI

Mae cregyn, blodau, broc, melfed, les, hen ddillad, hen lestri, menig garddio, hen becynnau ac ati, yn gallu awgrymu syniadau. 'Soniwch am hwn, pa atgofion personol sydd gennych chi ohono?'

Dychmygwch mai chi yw...

Y goedwig ydw i,
yn y nos rydw i'n
dywyll,
mae fy adar yn eistedd
ar
ganghennau
gyda'u pennau
wedi'u plygu yn eu
plu.
Mae'r lleuad mor uchel
ac yn euraid.
Mrs G, preswyliwr

Y goedwig ydw i, ac
mae gen i anifeiliaid.
Mae'r adar yn hedfan
ffwrdd
weithiau, ond maen
nhw
hefyd yn dychwelyd.
Rydw i'n fan
heddychlon.
Mrs B, preswyliwr

Y goedwig ydw i,
Rydw i'n goedwig
agored,
ble mae'r haul yn
gwenu
ac mae'r holl dristwch
yn diflannu.
R, myfyriwr nyrsio

YSGRIFENNWCH GERDD AR Y CYD

Gwahoddwch bawb i ychwanegu brawddeg am y pwnc – thema dda yw 'y dwylo hyn'. Darllenais gerdd wedi'i chyfansoddi fel hyn, a chafodd gryn effaith arna i. Roedd llinellau tebyg i: 'mae'r dwylo hyn wedi bod yn dda i mi, mae'r dwylo hyn wedi dal babis ac wedi golchi tai, mae'r dwylo hyn wedi tawelu plentyn ofnus ac wedi anwesu wyneb rhywun annwyl...'
Awgrymiadau eraill: *fy nghartref pan oeddwn i'n blentyn, mynd i'r siop groser pan oeddwn i'n ifanc, mynd ar ddêt cyntaf...*

BARDDONIAETH AR FAGNETAU OERGELL

Mae'r rhain yn wych, ond fel arfer yn rhy fach i'w dal a'u darllen yn rhwydd. Gallech chi hefyd ysgrifennu grwpiau o ansoddeiriau ac enwau ar gardiau mawr. Gofynnwch i bobl ddewis un o bob pentwr, ac o'r cyfuniad o eiriau, gwnewch gerddi gwirion. Roedd y rhain yn gyfleoedd gwych ar gyfer hiwmor, fel yng ngherdd Mrs G:

'Glaw siocled'

Welsoch chi erioed ddim byd tebyg?

Glaw siocled,
agorwch eich ceg
a llyncwch!

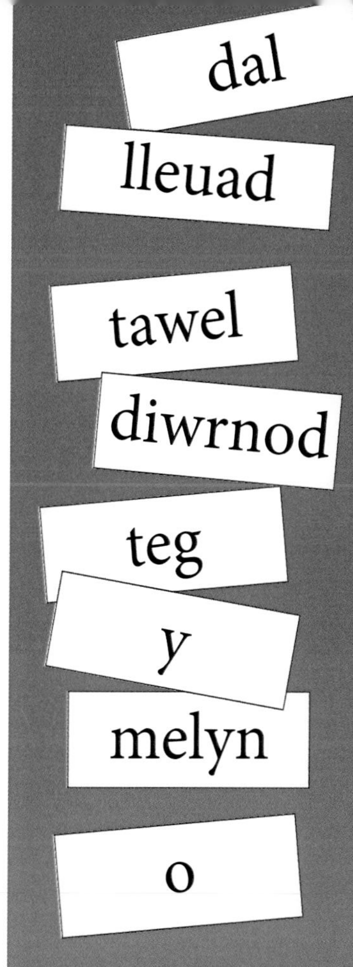

PORTREAD BARDDONOL O RYWUN ANNWYL

Awgrymiadau am themâu: *Fy chwaer, fy mam, fy ngŵr*. Os oes teimladau cryf yn dod i'r wyneb, mae hynny'n iawn; ewch gyda'r llif a helpwch y person i fynegi ei deimladau.

YR ADEGAU DISTAWAF, 'Y PETH DISTAWAF'

Neu 'y pethau harddaf'; 'y peth rhyfeddaf sydd wedi digwydd i mi erioed'; 'rydw i heb ddweud wrth neb erioed...'; neu 'fy hoff bethau i yw...'.

Defnyddiwch y brawddegau hyn i dyrchu'n ddwfn am deimladau a phrofiadau.

Dyma ambell awgrym am sut i arddangos cerddi:

CYFLWYNO CERDD FEL GWAITH CELF

Fe gopïwyd cerdd Mrs B yn anffurfiol mewn llythrennu brwsh a'i gludo ar sawl dalen o bapur coch, oren a phinc. Mae ymylon garw i'r papurau lliw ac mae'r ddalen wen ychydig yn gam, i fod yn fwy diddorol.

Mae ambell edau goch wedi'i phwytho drwyddi, i'w gwneud yn fwy deniadol. Rydw i'n gwnïo papurau gyda'i gilydd yn aml, yn hytrach na'u gludo, i'w gwneud yn fwy diddorol yn weledol.

CYFLWYNO CERDD MEWN LLYFRYN

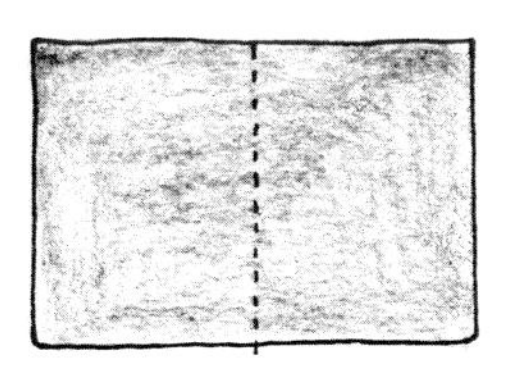
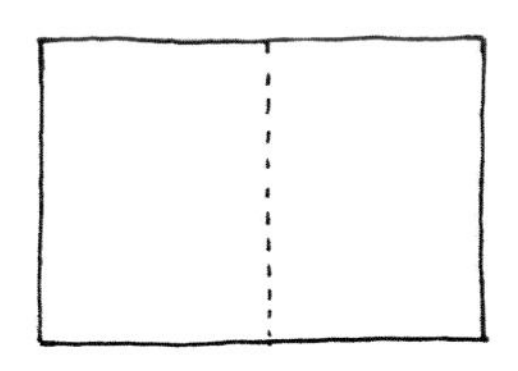

DEUNYDDIAU

1 ddalen o bapur lliw trwchus A4 (8½" x 11") 120–160g i wneud y clawr

1 ddalen o bapur gwyn neu hufen A4 (8½" x 11") 80g

nodwydd ac edau

1 Plygwch y clawr a'r ddalen tu mewn yn eu hanner. Gosodwch y ddalen fewnol y tu mewn i'r clawr. (Gallwch ysgrifennu'r gerdd ar y ddalen wen yn barod – edrychwch ar y diagram canol yn y rhes olaf isod i weld sut i'w gosod.)

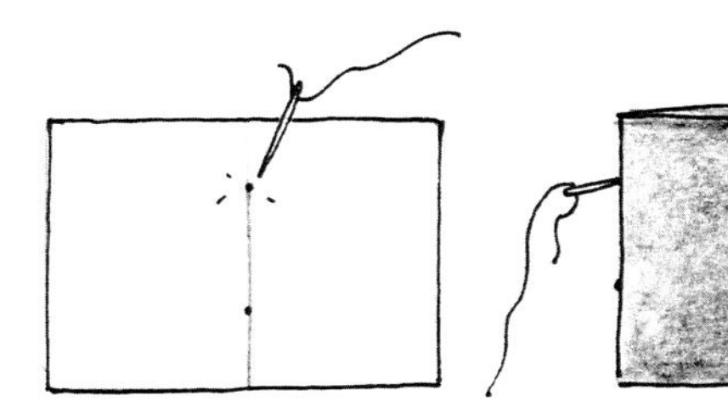
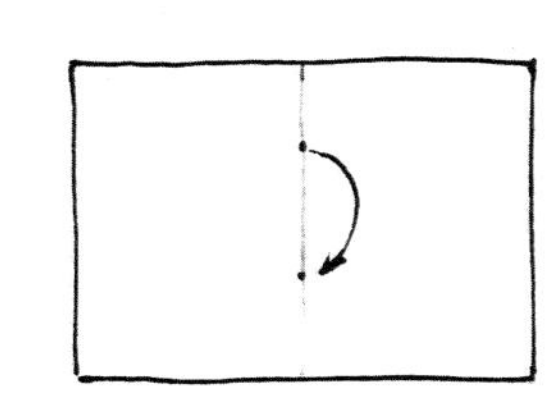
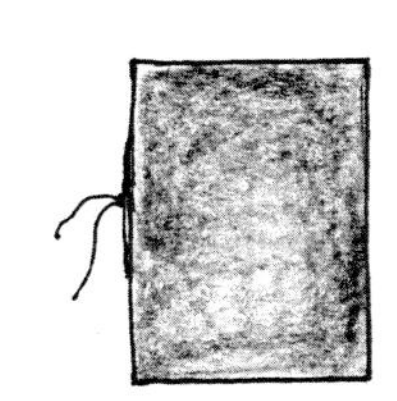

2 Rhowch edau frodio neu gotwm trwchus arall, tua 25cm/10" o hyd, drwy nodwydd. Gan ddefnyddio'r nodwydd, gwnewch ddau dwll drwy'r holl bapur o'r tu mewn i'r tu allan (peidiwch â gwnïo eto) a'i ddal yn ei le. Yna, gwnïwch, gan ddechrau ar y tu allan fel y dangosir. Peidiwch â phoeni os ydych chi wedi dechrau o'r tu mewn; clymwch y cwlwm ar y tu mewn.

y clawr blaen

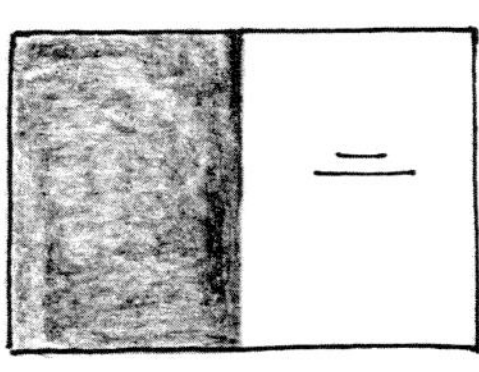
tu mewn y clawr blaen | teitl

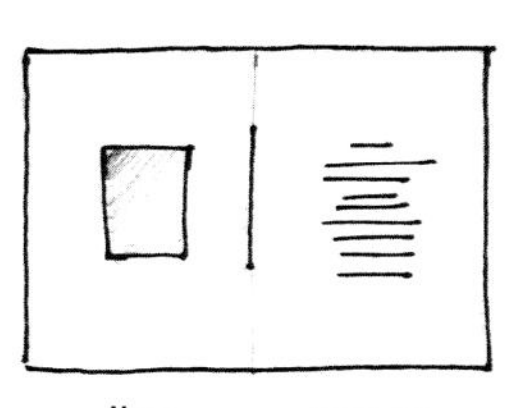
llun | testun

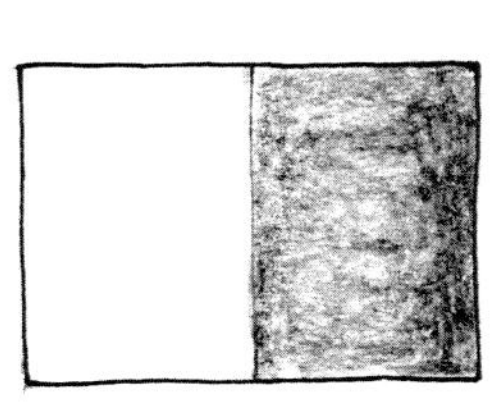
tudalen wag | tu mewn i'r clawr ôl

y clawr ôl

3 Agorwch y clawr blaen ac ysgrifennwch deitl ac awdur y gerdd ar y dudalen wen ar yr ochr dde. Agorwch dudalen ganol y llyfryn ac ysgrifennwch y gerdd arni, neu gludwch hi arni.

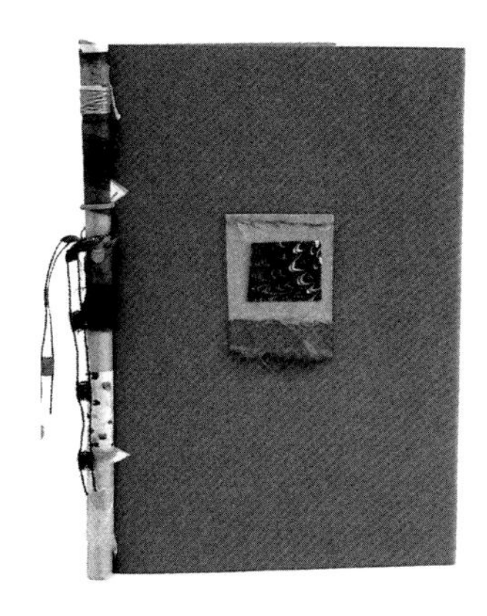

Llyfr band rwber
gweler y dudalen nesaf

Gwneud llyfrau syml

Mae gwneud llyfrau syml yn beth boddhaol, ac maen nhw'n 'gynwysyddion' gwych i gadw atgofion, digwyddiadau neu themâu.
Mae defnyddio anghenion sylfaenol swyddfa yn rhoi canlyniadau da, ond mae'r llyfr yn troi'n rhywbeth anhygoel wrth ddefnyddio'r deunyddiau celfyddyd gain gorau.

Gallwch wneud y tudalennau mewnol o bapurau celf moethus, ag ymylon wedi'u rhwygo neu heb eu torri, a'r cloriau o bapur diddorol wedi'i wneud â llaw neu bapur lliw trwchus.

AWGRYMIADAU AM THEMÂU

Llyfr rhodd pen-blwydd – casgliad o bethau gan ffrindiau: brasluniau, negeseuon, lluniau ac ati.
Llyfr lloffion babi newydd – neu ddiwrnod cyntaf plentyn mewn ysgol ac ati.
Cofnod teithio – casglwch docynnau, nodiadau, lluniau, ac ati o wyliau neu drip undydd.
Barddoniaeth – ysgrifennwch un o'r cerddi a gwblhawyd yn un o'r penodau blaenorol ar bapur, neu ei hargraffu, a'i phastio yn y llyfr. Gallwch hefyd gasglu eich hoff gerddi gan eraill a gludo'r rheini ynddo.
Cyflwyniad – llyfr pedair tudalen i gyflwyno cerdd neu gerdyn neu unrhyw eitem arbennig arall. Edrychwch ar *Ysgrifennu barddoniaeth* (t133).
Atgofion – 'pethau yr hoffwn i eu cofio' – naill ai gwybodaeth ymarferol neu atgofion penodol.
Casgliad – stampiau, dail, neu luniau o gylchgronau o'i hoff bynciau – anifeiliaid, dillad, cynllunio mewnol, celf ac ati. Rhowch nhw mewn llyfr *leporello* (pletiog) (t138).

LLYFR BAND RWBER

Y fantais gyda'r llyfr hawdd-ei-wneud hwn yw y gallwch ei wneud yn y fan a'r lle gyda deunyddiau swyddfa cyffredin: ychydig o bapur argraffu, pensil a band rwber. Dyna'r cyfan sydd ei angen. Ond, wrth gwrs, mae papur da, clawr deniadol a ffon fambŵ wedi'i thorri i'r maint cywir yn rhoi llyfr mwy soffistigedig yr olwg.

DEUNYDDIAU

papur A4 (8½" x 11") ar gyfer y tudalennau
papur 120–160g ar gyfer y clawr
pensil neu ffon fambŵ
band rwber
pensil
siswrn

i'w addurno:
glud
rhubanau
papurau anarferol
darnau ffabrig

I wneud y llyfr:

1 Addurnwch y ffon os hoffech chi.

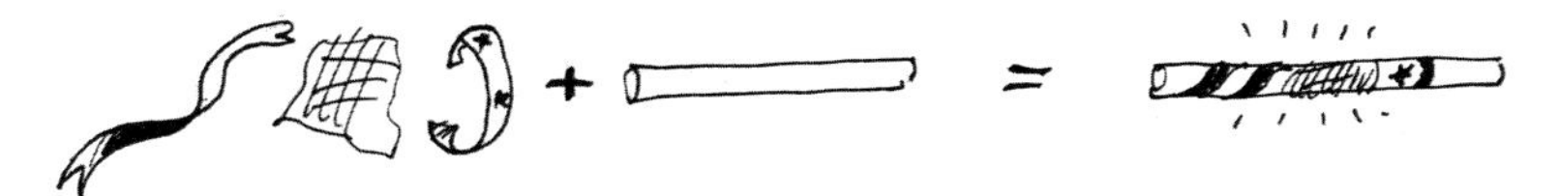

2 Plygwch y clawr.

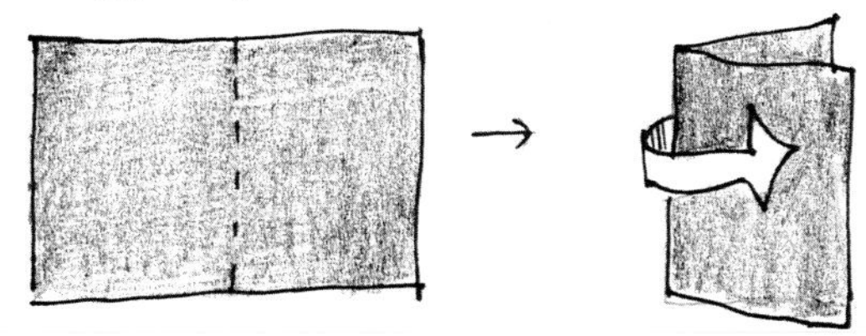

3 Plygwch y tudalennau a'u rhoi at ei gilydd fel y dangosir.

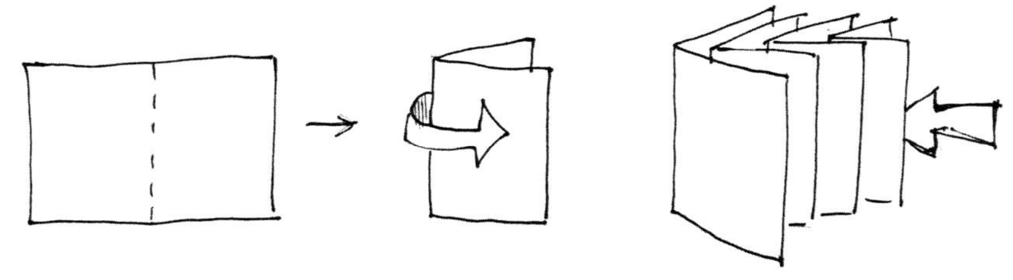

4 Rhowch y tudalennau yng nghanol y clawr, sydd ychydig yn fwy na'r tudalennau.

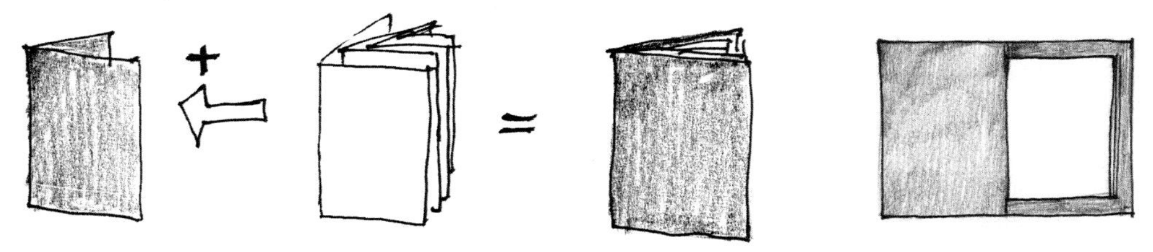

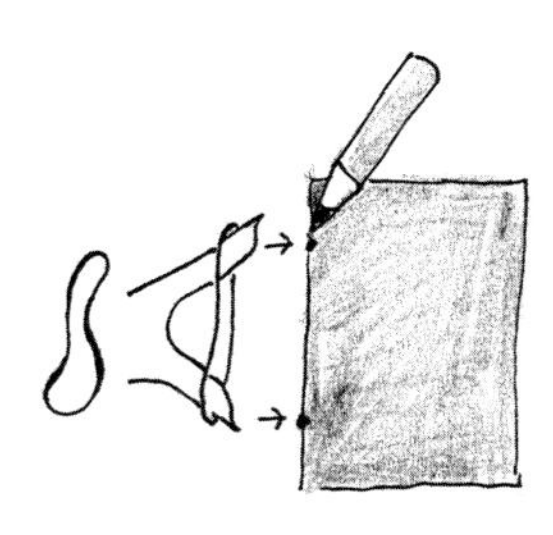

5 Ymestynnwch y band rwber ychydig a marciwch yr hyd â phensil.

6 Gwnewch ddau doriad siâp V fel isod.

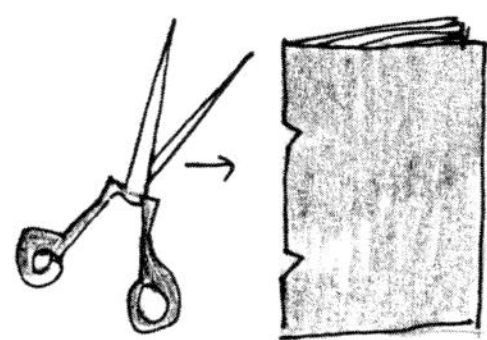
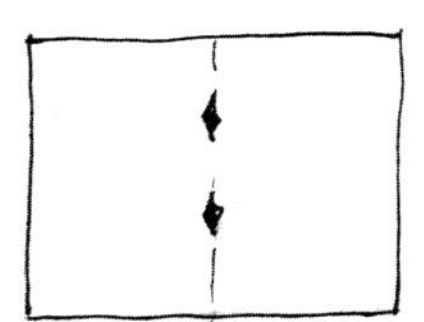

7 Agorwch y llyfr a rhowch un pen i'r band rwber drwy'r twll uchaf (o'r tu mewn i'r tu allan).

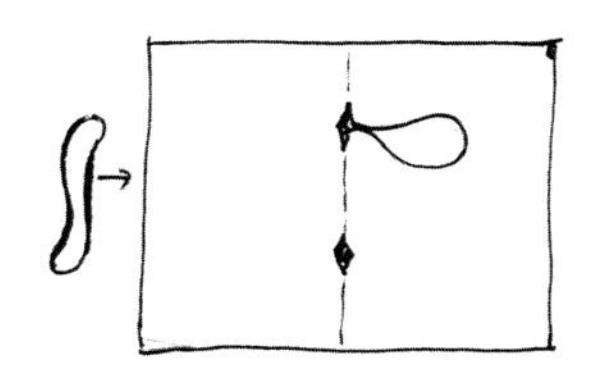
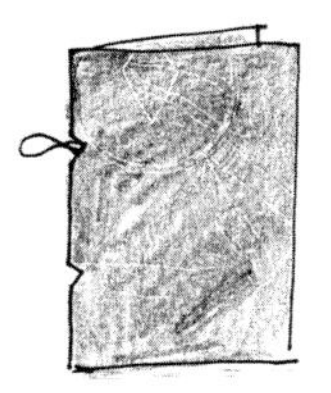

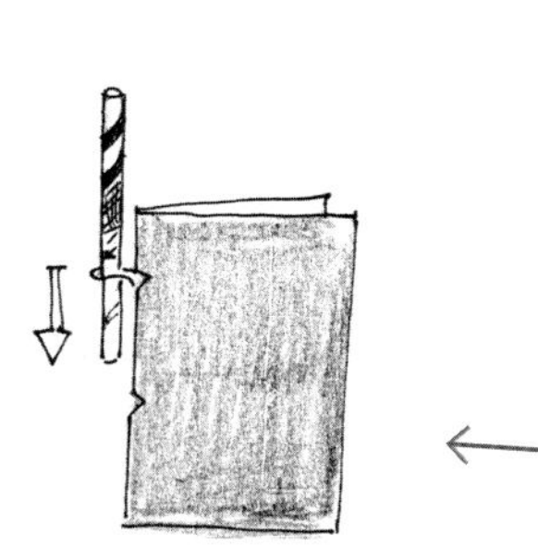

8 Ar y tu allan, rhowch waelod y ffon fambŵ neu'r pensil drwy ddolen y band rwber. Peidiwch â gwthio'r holl ffon drwyddo eto.

9 Wrth ddal y ffon yn ei lle, agorwch y llyfr. Ar y tu mewn, ymestynnwch y band rwber a'i wthio drwy'r twll isaf. Daliwch y band rwber yn ei le pan mae ar y tu allan.

10 Mae'r cam nesaf yn gallu bod ychydig yn drafferthus: wrth gadw'r band rwber wedi'i ymestyn, caewch y llyfr yn rhannol a symudwch y ffon i lawr yn ofalus nes y byddwch chi'n gallu ymestyn y ddolen o'i hamgylch. Gall bachyn crosio fod yn ddefnyddiol i ddal y ddolen wrth i chi afael ym mhopeth arall.

Mae'r llyfr yn barod nawr i'w addurno!

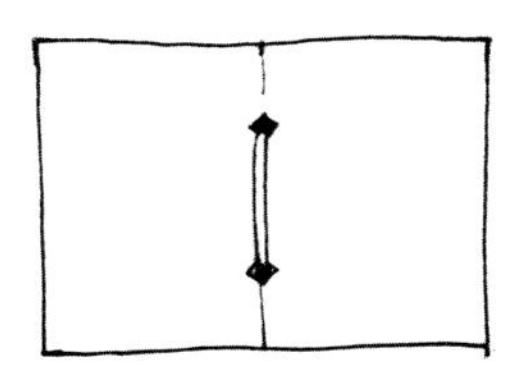
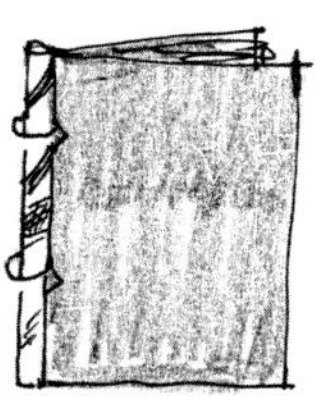

Llyfrau ar eich cyfer chi

Rydw i wedi ychwanegu'r adran hon gan fod gwneud llyfrau yn weithred greadigol syml sy'n gallu bod yn ddefod bersonol bwysig a chefnogol.

Pan ddechreuais i weithio fel gwirfoddolwr mewn cartref nyrsio seiciatrig, bu farw pum person ar y ward yn hanner cyntaf y flwyddyn roeddwn i'n gweithio yno. Roeddwn i'n teimlo, petawn i'n aros yno am gyfnod hir, y byddwn i'n debygol o weld rhagor yn marw, a doeddwn i ddim am anghofio'r un o'r bobl unigryw roeddwn i wedi dod i'w hadnabod. Felly, dechreuais lyfr atgofion personol a oedd yn nodi marwolaeth pawb roeddwn i wedi gweithio gyda nhw. Bob tro y byddai rhywun yn marw, byddwn yn dechrau tudalen newydd ac yn ysgrifennu ei enw mewn caligraffeg arno, ynghyd â fy ngwaith gyda hwnnw, ar ffurf darlun neu *collage*. Weithiau, byddwn yn ysgrifennu neges bersonol ar y tu ôl, yn diolch iddo. Roedd gwneud y tudalennau hyn nid yn unig yn gofnod ffeithiol o farwolaethau'r bobl roeddwn i wedi'u hadnabod yn y cartref, ond hefyd yn ddefod gysurlon i gofio pawb mewn llythrennau a delweddau. Roedd yn deyrnged i bob un, yn ogystal ag yn fodd i mi ddelio â'i farwolaeth.

Efallai y byddwch chi'n darganfod eich pwrpas arbennig chi ar gyfer llyfr bach y byddwch chi'n ei wneud. Bydd hwn yn cyflawni rhyw angen sydd gennych chi o ran eich gwaith neu'ch gofal am rywun â dementia.

LLYFR PLETIOG NEU *LEPORELLO*

Dechreuwch gyda stribed hir o bapur; mae'r hyd tua 5 × y lled. Er enghraifft: 10cm × 50cm (4" × 20").

1 Plygwch y stribed o bapur yn ei hanner, fel isod.

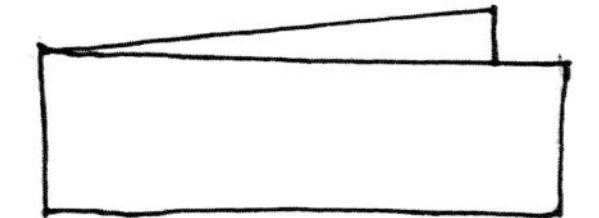

2 Plygwch yr ochrau tuag at y canol.

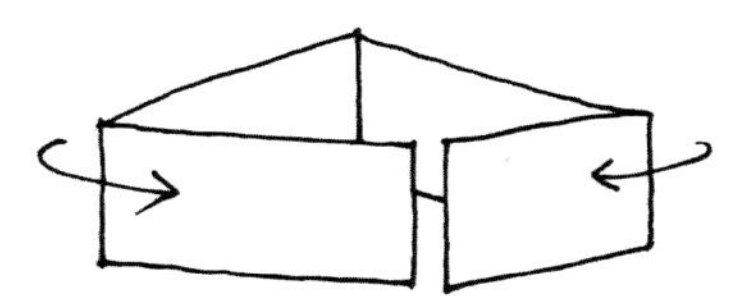

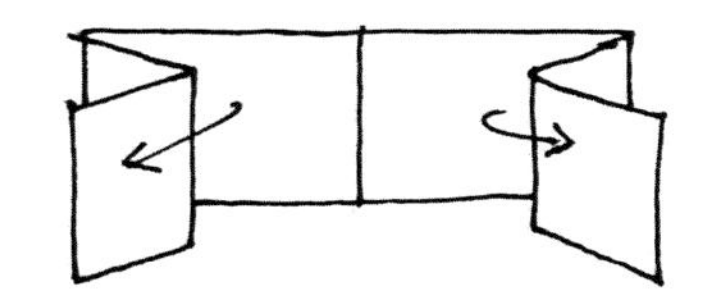

3 Plygwch yr ochrau yn ôl er mwyn i'r ymylon fod yn union yr un maint â'r plygiadau rydych chi newydd eu gwneud.

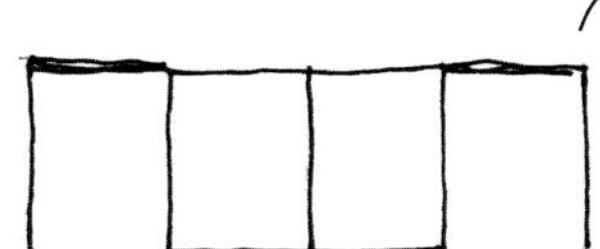

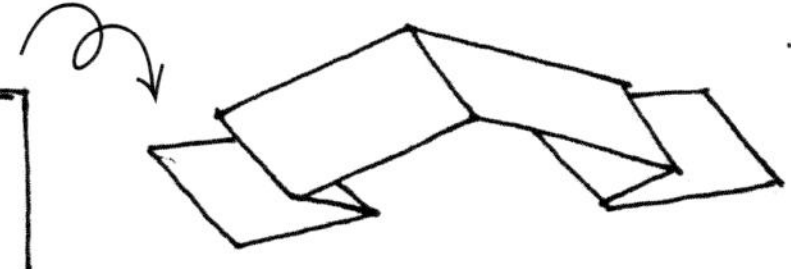

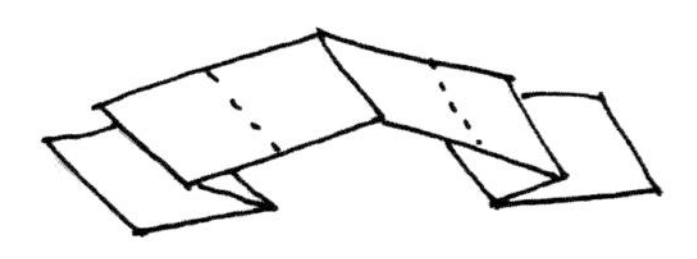

4 Trowch y papur drosodd. Mae'r llinellau toredig yn dangos ble y byddwch yn ei blygu nesaf.

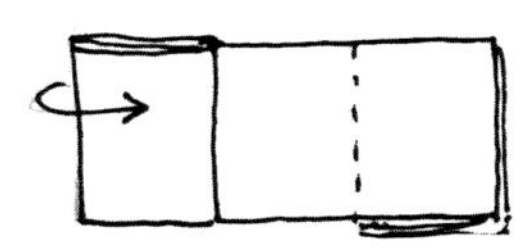

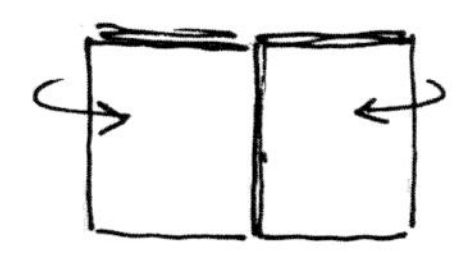

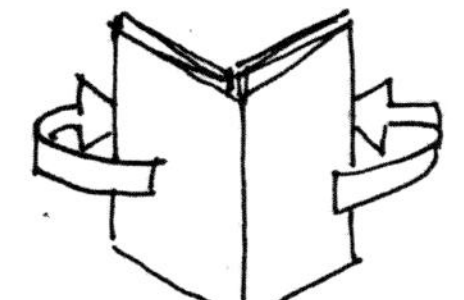

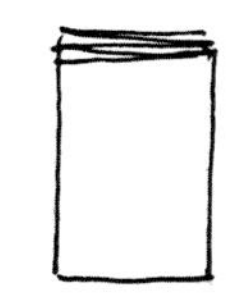

5 Plygwch yr ochrau de a chwith i'r canol fel y dangosir. Plygwch yn ei hanner ar y plygiad canol.

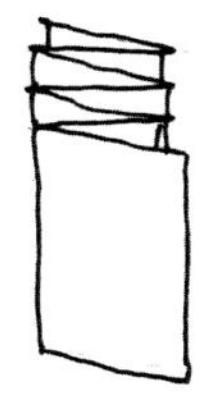

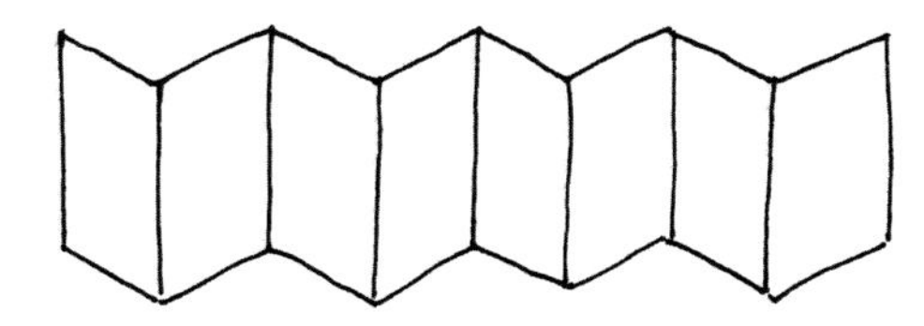

A dyna ni, *leporello*

CLORIAU

Defnyddiwch ddarn o bapur lliw trwchus. Mesurwch y papur i fod tua 5mm (¼") yn uwch na'r *leporello* (yn seiliedig ar yr enghraifft a roddir, dylai fod yn 10.5cm neu'n 4¼" o uchder). Gwnewch ddau.

DEUNYDDIAU

papur 80g

papur clawr 120g

papurau deniadol

glud

pren mesur

siswrn

1 Plygwch yn ei hanner fel isod.

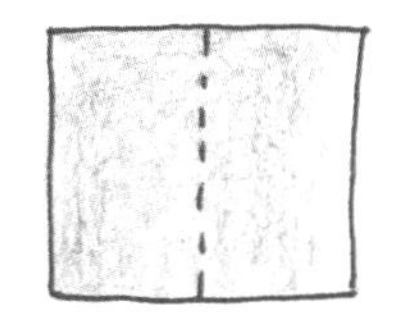
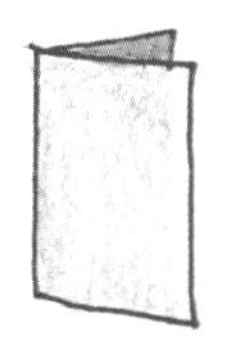

2 Caewch y top a'r gwaelod drwy ludo unrhyw siâp o bapur patrymog neu gyferbyniol yr hoffech ei gael. Mae hyn yn ffurfio un clawr poced.

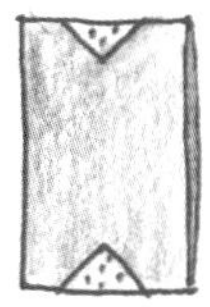

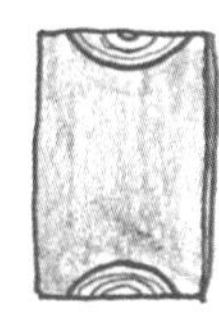

3 Rhowch y cloriau poced ar naill ben y leporello. Gallwch glymu rhuban o'i gwmpas, os hoffech chi. Gallwch lenwi'r llyfr nawr mewn sawl ffordd. Mae themâu i'w gweld ar y dudalen nesaf.

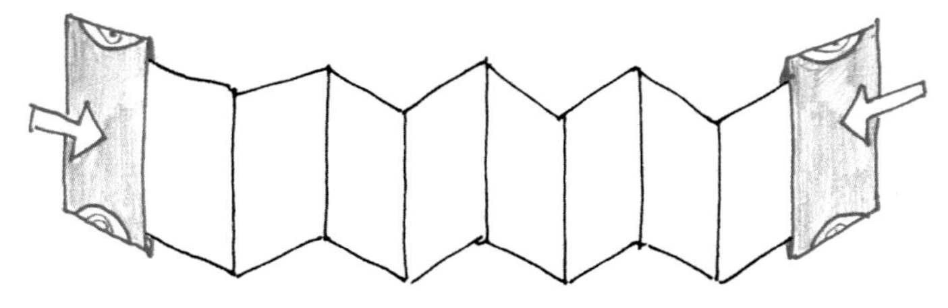

AMERICAE
Mappa generalis
A. MDCCXXXXVI.

URIOSITY
wonder…is pleasure in itself
is the stick.
backs, we look at

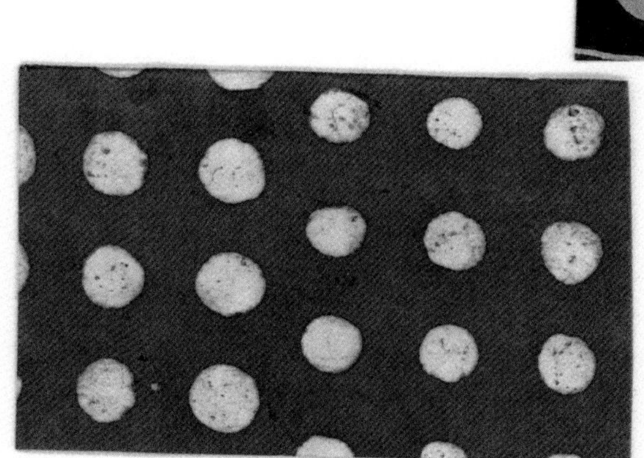

Awgrymiadau am themâu

Cofnodwch **syniadau am** weithgareddau a'r pethau sydd wedi'ch **ysbrydoli** o'r llyfr hwn, o'ch profiad chi eich hun ac o rywle arall

Llyfr i gofnodi **adegau arbennig** gyda phobl rydych chi'n gweithio gyda nhw neu'n gofalu amdanyn nhw

Llyfr o **sylwadau doniol** neu ddiddorol preswylwyr neu gleifion

Atgofion neu adegau o orffennol yr unigolyn yr hoffech chi eu cadw'n ddiogel iddyn nhw

Eich **meddyliau neu'ch barddoniaeth** eich hun

Brasluniau

Casgliad o ddyfyniadau a syniadau **sy'n ysbrydoli ac yn cysuro**

Ryseitiau o hoff fwydydd y person, neu ryseitiau teulu yr hoffech eu cofnodi cyn iddyn nhw fynd yn angof

Llyfr deniadol, â deunyddiau naturiol, papurau, rhubanau a ffabrigau i'w wneud yn hardd

Llyfr fel yr un a ddisgrifir ar dudalen 137 – **'Er cof am'**

Y dudalen ar y chwith: Wrth gasglu papurau deniadol i'w gludo mewn llyfrau neu ar gloriau poced y *leporello*, beth am gasglu darnau o lawysgrifen ddiddorol, copïau o hen ysgythriadau a darnau o bapurau newydd neu gylchgronau hefyd?

Llythrennau ac ysgrifennu

Rydw i'n cynnwys y bennod hon oherwydd bod fy nghefndir personol i fel caligraffydd wedi arwain at nifer o weithgareddau â llythrennau'n chwarae rôl allweddol ynddyn nhw.
Does dim rhaid i chi wybod sut i wneud caligraffeg i gael hwyl gyda llythrennau. Rydw i wedi darganfod, hyd yn oed os bydd rhywun yn cael trafferth darllen, ei fod yn aml yn gallu adnabod ei enw neu siapiau'r llythrennau ar wahân.

Mae symudiadau ysgrifennu a symudiadau sy'n debyg i ysgrifennu fel arfer yn aros yn ein meddyliau, hyd yn oed mewn achosion difrifol o golli cof. Gallwch ddefnyddio'r syniadau yn y bennod hon ar gyfer rhywun neu gydag ef neu hi; gyda phrosiectau mwy cymhleth, dechreuwch chi'r gweithgaredd, a pharhau drwy roi tasg wahanol i bawb. Er enghraifft, gallai un person dorri allan y llythyren rydych wedi'i gwneud, a gallai rhywun arall ludo.

CARDIAU ENW

Gan ddefnyddio marciwr neu unrhyw declyn ysgrifennu sy'n gyfforddus i chi, ysgrifennwch enw'r person yn fawr ar ddarn o gerdyn lliw neu dag. Gallwch ei fframio fel yr awgrymwyd yn yr adran ar *collage*, a'i roi ar y drws. Gall cardiau enw hefyd fod yn ychwanegiadau deniadol ar gyfer fframiau cerdded.

ABCChDDdE
FFfGNgHIJLLl
MNOPPhRRhS
TThuWY

1234567890&!

a b c ch d dd e f
ff g ng h i j l ll m n
o p ph r rh s t
th u w y

CYSGODLUN ENW

DEUNYDDIAU

cerdyn ysgafn neu bapur trwm (10cm x 29cm/±4" x 11½") –
1 ddalen wen ac
1 ddalen ddu neu liw tywyll

cyllell grefft

siswrn

edau a nodwydd

dewisol – gleiniau

1 Ysgrifennwch enw'r person ar ddarn o bapur gwyn trwm – i lenwi hanner darn A4 (8½" x 11") ar ei hyd. Fe allwch chi ddefnyddio'r wyddor ar dudalen 143 neu chwilio am arddulliau llythrennu mewn llyfrau caligraffeg, mewn llyfr samplau ffurfdeipiau (ffontiau), neu ar y rhyngrwyd. Gosodwch yr enw gyda'r holl lythrennau'n cyffwrdd.

Awgrym: Amrywiwch faint y llythrennau, cyfunwch briflythrennau a llythrennau bach yn yr enw, neu ychwanegwch ambell gwrl.

2 Torrwch yr enw allan *mewn un darn*, gan ddefnyddio cyllell i dorri'r siapiau mewnol, fel y rhai yn 'O' ac 'R'.

3 Plygwch ddarn o bapur A4 du neu liw tywyll yn ei hanner ar ei hyd.

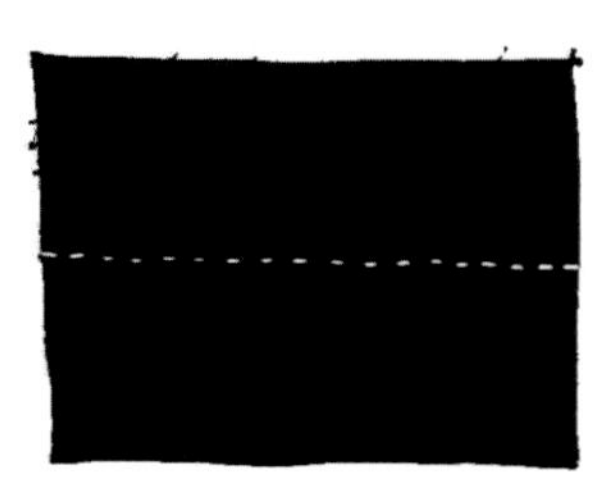

4 Rhowch y darn sydd wedi'i dorri allan ar y papur du *gyda gwaelod y llythrennau ar y plygiad*, a thynnwch linell o'u cwmpas nhw gyda phensil lliw golau.

5 Cadwch y papur wedi'i blygu a'i dorri fel y gwnaethoch chi yng ngham 2. Gofalwch eich bod yn torri drwy'r ddwy haen.

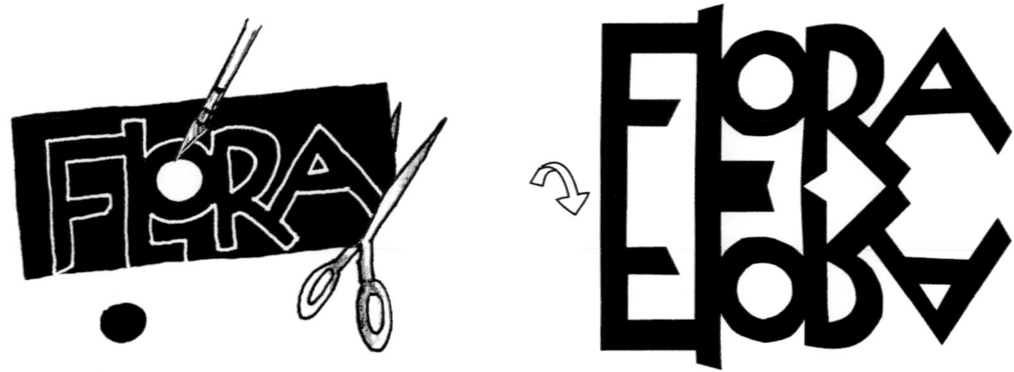

6 Agorwch y papur a byddwch yn gweld yr enw ar ffurf cysgodlun. Mae un hanner yn ddrychddelwedd.

Rhowch edau drwy'r top a'i hongian mewn ffenest neu ar wal.
Gallwch ychwanegu addurniadau eraill, fel gleiniau, neu siapiau papur neu forderi.

ADDURNO FFENESTRI

Prynwch farciwr pwrpasol â blaen llydan ac ysgrifennwch enw'r person ar ffenest ei ystafell.
Gan ddefnyddio llawysgrifen addurniadol, fe allwch chi ysgrifennu enwau'r plant a'r wyrion hefyd. Mae'r marcwyr hyn yn hawdd i'w sychu gyda chadach sych neu wlyb, oni bai eich bod yn eu gadael nhw am fwy nag ychydig wythnosau.

YSGRIFENNU

Os yw'r person yn hoffi defnyddio pen neu ben ffelt, rhowch ddalen fawr o bapur iddo, a dangoswch iddo sut y mae creu pob math o lythrennau dolennog a throellog. Gallan nhw fod yn ddarllenadwy neu beidio, a hyd yn oed heb fawr o gysylltiad â llythrennau. Gallwch ddefnyddio'r dalennau hyn fel deunydd crai ar gyfer rhagor o liwio, i wneud cardiau, *collage*s neu bapur lapio.

DYLUNIO'R WYDDOR

Ysgrifennwch yr wyddor mewn priflythrennau, gan greu darn o waith celf ohonyn nhw. Amrywiwch hyn drwy addasu meintiau'r llythrennau. Gellir lliwio'r rhain wedyn.

YR WYDDOR WEDI'I THORRI ALLAN

Torrais yr wyddor isod allan o gerdyn gan ddefnyddio siswrn. Roeddwn i heb ei gwneud o flaen llaw, ond gallwch wneud pob llythyren yn gyntaf os hoffech chi. Defnyddiwch un lliw neu ragor ar gyfer yr wyddor, a gludwch y llythrennau ar gefndir o liw cyferbyniol. Gludais i nhw a'u trefnu wrth i mi fynd yn fy mlaen, ond gallwch hefyd eu torri yn gyntaf a threfnu'r holl lythrennau cyn gludo.

fe wnes i'r un peth gyda thu mewn y D – ar ôl ei gludo ar bapur, mae'r toriad yn diflannu

mae'r llinell doredig yn dangos sut wnes i dorri allan tu mewn yr A

does dim rhaid torri allan tu mewn y llythyren – fel y P

Mae'r llythrennau ar osgo, a'u trwch amrywiol, yn rhoi golwg drawiadol a chwareus i'r wyddor hon. SE

Tachwedd 2008

Rhagfyr 2008

Mawrth 2009

Ffrind i ni a dynnodd y lluniau hyn. Roedd yn cael gwersi arlunio wythnosol gyda mi am flwyddyn a hanner.

Roedd wedi cael ychydig o ddifrod i'r ymennydd a braslunio oedd un o'r gweithgareddau prin yr oedd ganddo ddiddordeb ynddo.

Ei ddarlun cyntaf oedd y cwpan, ac mae rhifau 2 a 3 yn dangos ei gynnydd dros y misoedd nesaf.

O ddiwedd 2009 tan ddechrau 2010, collodd lawer iawn o'i allu gwybyddol. Collodd y gallu i gyfleu'r hyn roedd yn ei weld ar y ddalen. Felly, byddwn i'n gwneud yr amlinellau iddo ef i'w llenwi (rhif 4).

Llun bywyd llonydd oedd ei lun olaf, sef rhif 5, ond dydi hynny ddim yn amlwg mwyach. Fodd bynnag, gweithiodd am awr, ac roedd hi'n amlwg ei fod yn cael pleser wrth ddefnyddio'r pensil yn ysgafn.

Dydi'r canlyniad ddim yn 'ymgais aflwyddiannus' i dynnu llun. Gellir ei farnu yn ôl ei rinweddau ei hun, fel celfyddyd haniaethol sensitif, gyda gwawr a gwead hyfryd.

Rhagfyr 2009

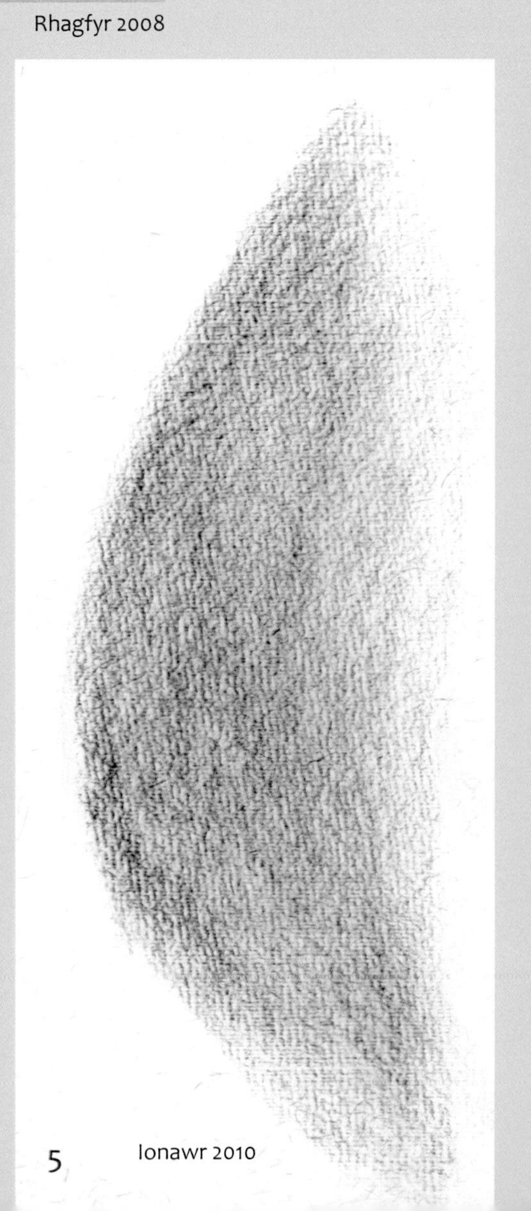

5 Ionawr 2010

Darlunio fel cyfathrebu gweledol

Mae darlunio'n sgìl y mae'n bosibl ei ddysgu, ond hyd yn oed yn y dechrau, wrth dynnu llun ffigurau dynol mewn llinellau, mae'n gallu bod yn offeryn cyfathrebu pwerus.

Gallwch dynnu lluniau ar lefel sylfaenol, hyd yn oed os nad ydych chi'n artist/drafftsmon penigamp. Gall unrhyw un fraslunio cynllun llawr ystafell neu'r ffordd tuag at yr archfarchnad heb feddwl; wrth ddarlunio heb fod yn hunanymwybodol i esbonio rhywbeth, rydym ni'n gallu gwneud hynny, gan nad oes neb (yn cynnwys ein beirniad mewnol) yn barnu a yw'n gelf ai peidio! Does mo'r fath beth â lluniau 'gwael' wrth ddefnyddio llinell fel modd o gyfathrebu.
Does dim rhaid i chi fod yn un da am dynnu llun – mewn gwirionedd, mae darluniau sy'n edrych yn lletchwith fel arfer yn arwain at lawer o chwerthin a chynigion i helpu. Gweler *Swyn darluniau 'amherffaith'* (t154).
Mae'r syniadau yn yr adran hon yn rhyngweithiol iawn, oherwydd rydych chi'n dechrau'r gweithgaredd ac yna'n gwahodd y person i gyfrannu ato.

Roedd G, y fenyw annwyl a wnaeth y ddoli bapur y mae ei llun ar y dudalen nesaf, yn grefftwraig ddawnus, ond roedd hi'n mynnu nad oedd hi'n gallu tynnu llun.
Gall wynebu dudalen wag fod yn eithaf brawychus. I'w gwneud hi'n haws iddi ddechrau, fe ddefnyddiwyd byrddau gwyn bach er mwyn gallu cywiro'r llun yn rhwydd. (Gweler tudalen 65 am sut i wneud un.)
Dechreuais drwy dynnu llun rhan o siâp hirgrwn ar gyfer yr wyneb, a gofynnais i G roi nodweddion yr wyneb arno. Yn raddol, wrth i ni chwerthin gyda phob ychwanegiad, daeth hi'n fwy hyderus. Ychwanegodd wallt cyrliog, yna gwddf, breichiau, coesau a chorff. Fe lwyddais i fy atal fy hun rhag gwneud sylwadau ar y cynnwys neu'r meintiau, gan ddim ond awgrymu ychwanegiadau.
Fe wnes i sawl copi o'r ffigur ar beiriant llungopïo. Gludais un copi ar gardbord gwyn a'i dorri allan; y dasg nesaf oedd gwisgo 'Samy'.

Dyma'r siâp sylfaenol wnes i ar gyfer G i ddechrau.

Gan ei bod hi'n anodd i G gymryd y cam cyntaf, fe awgrymais i'r dilledyn y gallem ni weithio arno nesaf, fel blows neu sgert, a chwilio wedyn drwy gylchgronau am y lliwiau a'r gweadau iawn i'w rhoi am y ddoli. Roedd hyn yn hwyl o'r dechrau hyd y diwedd. Rydw i wrth fy modd gyda'r ffigur llawn mynegiant a wnaeth hi. Arweiniodd hyn at ragor o weithgareddau: dillad newydd i wardrob Samy, creu cydymaith gwrywaidd, a storïau am y ddau ohonyn nhw.

'Samy' heb golur, clustlysau na dillad

Ar y dde: 'Samy' wedi'i lliwio (yn y gwreiddiol) ac wedi'i gwneud fel *collage.*

WYNEBAU

Mae hwn yn ymarfer syml sy'n gallu arwain at ennyn pob math o ddiddordeb annisgwyl.

Gwnewch siâp hirgrwn fel y dangosir yn y darluniau, a gofynnwch i rywun ychwanegu un nodwedd, fel llygaid neu drwyn neu geg. Bydd y siâp hirgrwn gwreiddiol yn dylanwadu ar y nodweddion eraill. Cymerwch eich tro i ddarlunio nodweddion (mae pob nodwedd newydd sydd wedi'i hychwanegu wedi'i dangos mewn du). Os yw'r person yn dangos rhagor o ddiddordeb, ychwanegwch wallt, a chorff a dillad, hyd yn oed. (Gweler *Doliau papur* isod.)

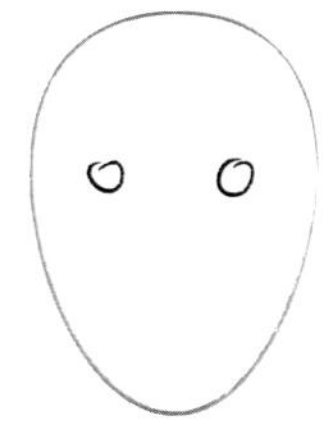
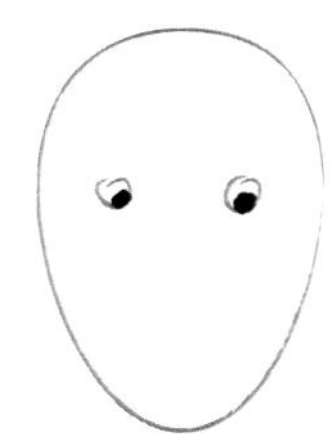

WYNEBAU AC EMOSIYNAU

Amrywiad ar *Wynebau* yw gwneud siâp hirgrwn, yna gofyn i'r person dynnu llun edrychiad penodol, fel 'dicter', neu 'hapusrwydd'. Gallwch fynd drwy amrywiaeth o emosiynau fel hyn. Neu gallwch dynnu llun yr edrychiadau a dechrau trafodaeth ar sail un ohonyn nhw. Er enghraifft, 'Sut y mae hwn/hon yn teimlo?' Gallech chi ddynwared yr edrychiad a gofyn i'r person ymuno â chi. Sylwch: pwrpas y gweithgaredd hwn yw ennyn diddordeb a chael hwyl, felly cadwch y naws yn ysgafn.

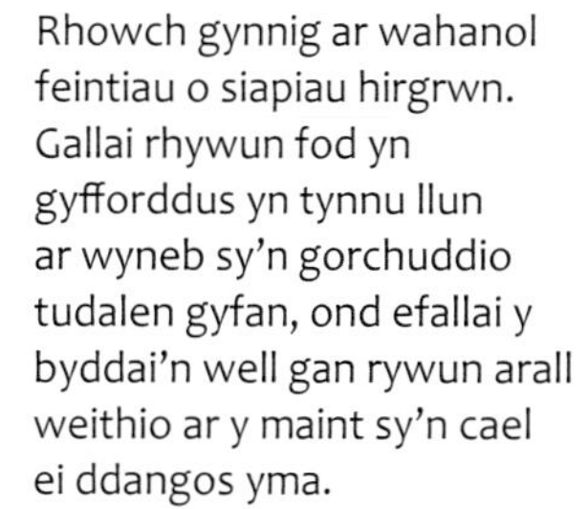
Rhowch gynnig ar wahanol feintiau o siapiau hirgrwn. Gallai rhywun fod yn gyfforddus yn tynnu llun ar wyneb sy'n gorchuddio tudalen gyfan, ond efallai y byddai'n well gan rywun arall weithio ar y maint sy'n cael ei ddangos yma.

DOLIAU PAPUR

Dilynwch y drefn sydd yn y cyflwyniad i wneud doli fel Samy. Does dim rhaid i hyn fod yn rhywbeth i ferched; gwnewch gymeriadau fel gwleidydd, ffermwr, gwerthwr neu actor enwog i ddynion. Ac fe allech chi roi cyfwisgoedd i'r cymeriadau i gyd-fynd â'r rôl. Gludwch y dillad ar y doliau neu eu gadael yn rhydd, fel y dymunwch.

Am ragor o syniadau, gweler *Meddwl yn greadigol* (t58).

'Rydw i'n byw gyda fy mam a fy nhad, mae fy mrawd yn dal i fyw gartref, fy mrawd ieuengaf, Jipp.

Mae'n dŷ hen ffasiwn wrth ymyl y chwarel, ac roedd ganddo welyau cwpwrdd.

Roedd yr ystafell fyw nesaf at y gegin. Roedd gan y gegin ffwrn lo fawr gyda chylchoedd arni i goginio arnyn nhw, a gorchudd drosti.

Byddai Mam yn rhoi glo yn y ffwrn ben bore ac yn gofalu amdani drwy'r dydd. Roedd y gegin yn glyd ac yn gynnes, roedden ni i gyd wrth ein boddau yn eistedd yno...'

— atgofion Mrs B

TAI, GERDDI A CHYMDOGAETHAU

Yn groes i'r hyn rydw i wedi'i glywed am beidio â sôn am yr hyn mae pobl wedi'i golli, yn fy mhrofiad i, roedd sawl un yn dymuno sôn wrthyf i am eu cartrefi. Er bod y rhain yn drafodaethau trist weithiau, roeddwn i'n teimlo bod holi am eu cartrefi nhw yn ffordd o gadarnhau bod cartref wedi bod ganddyn nhw unwaith, ac o ail-fyw'r profiad hwnnw. Os oedd hi'n addas, byddem ni'n tynnu llun o gynllun llawr gyda'n gilydd.

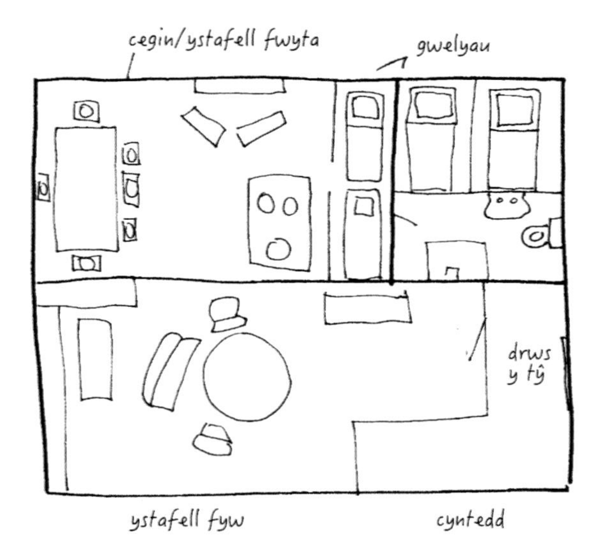

Mae'r gweithgaredd hwn hefyd yn hwyl pan fydd pobl yn hel atgofion am gartrefi eu plentyndod: 'Ble'r oedd yr ystafell ymolchi, ble'r oedd eich rhieni yn cysgu, ble'r oedd y plant yn cysgu? Y ci?', ac ati. Defnyddiwch bapur a phensil i wneud cynllun o bob llawr yn y tŷ.

Gerddi

Gallwch dynnu llun neu wneud *collage* o ardd i rywun sy'n hiraethu am ei ardd. Os ydych chi'n hapus i dynnu llun blodau, coed, ac ati, gwnewch hynny. Ond gallech chi hefyd gasglu cylchgronau garddio a chreu gardd gydag elfennau o *collage*.

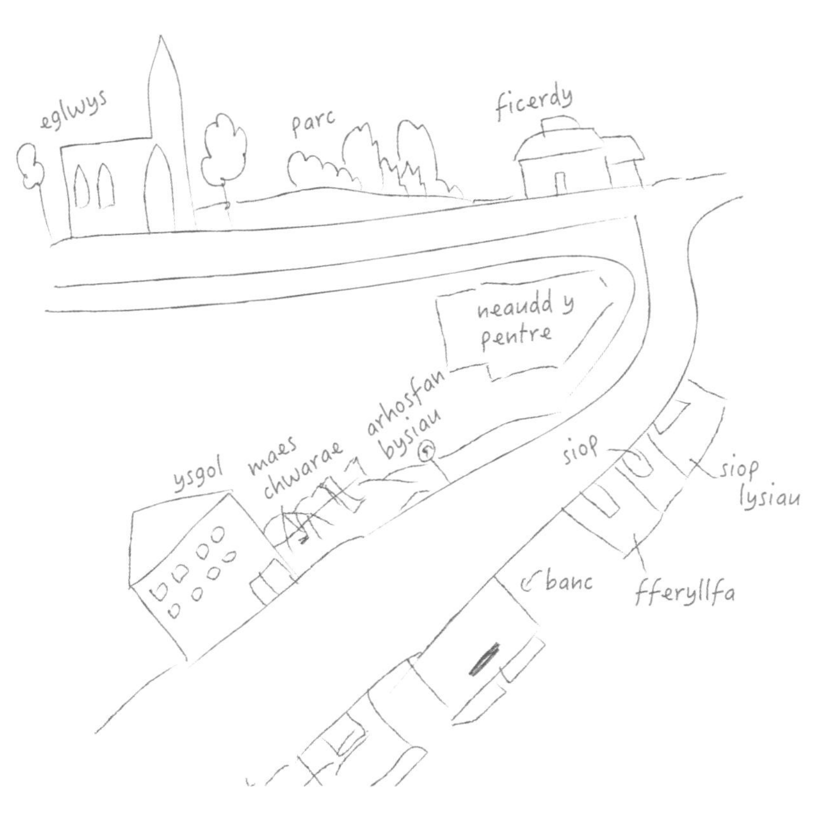

Pentrefi a chymdogaethau

Defnyddiwch gwestiynau, awgrymiadau ac enghreifftiau i wneud map o hen gymdogaeth y person. Ble'r oedd yr eglwys, y siop lysiau, y siop fara, ac ati? Gadewch i'r gweithgaredd ddatblygu'n naturiol; efallai fod arnyn nhw neu arnoch chi eisiau tynnu llun adeiladau neu nodweddion eraill y dirwedd ar ddalen o bapur ar wahân, a gludo'r rhain ar y map. Gall y mapiau ddod yn themâu ar gyfer gweithgareddau eraill i hel atgofion, fel ysgol, ffrindiau, swyddi cyntaf, rownd papurau newydd, ac ati.

SWYN DARLUNIAU 'AMHERFFAITH'

Os nad ydych chi'n gallu tynnu llun, fe allwch chi droi hyn yn fantais. Cytunwch i dynnu llun rhywbeth ar gyfer y person – ei gartref neu ei bentref, sefyllfa, neu freuddwyd yr hoffai ei gwireddu, a gwnewch hwyl am eich pen eich hun oherwydd eich bod yn methu tynnu llun. Tynnwch lun mor wirion â phosibl, a chwerthin gyda'ch gilydd. Efallai y gallech chi ofyn i'r person geisio gwneud un gwell. Gall gweithio arno gyda'ch gilydd arwain at ganlyniadau annisgwyl.

Ein ffrind, Candy, yr athrawes ysgrifennu creadigol, a wnaeth y lluniau hyfryd ar y dudalen hon. Mae'n amlwg iawn fod yr un sydd ar y chwith wedi cael newyddion syfrdanol neu wybodaeth ddiddorol.
Fe allwch weld nad oes rhaid cael y breichiau, y dwylo na'r wynebau'n 'iawn' i fynegi cyfarfyddiad neu emosiwn.
Mewn gwirionedd, mae'r llun hwn gystal â gwaith nifer o gartwnyddion proffesiynol sydd hefyd yn dibynnu'n fwy ar fynegiad llinell yn hytrach na phortread perffaith i gyfleu neges.

COFNODI EICH BYD CHI/EU BYD NHW

Mae darluniau syml yn ffordd o gofnodi eich byd chi/eu byd nhw; gan gymryd llyfrau a gwefan Keri Smith (gweler t183) yn ysbrydoliaeth, rhowch gynnig ar un o'r syniadau hyn ar gyfer rhywun, neu gydag ef neu hi:

- Mewn darluniau llinell syml, cofnodwch bopeth y mae wedi'i fwyta heddiw; os nad yw'n cofio, tynnwch lun pryd dychmygol.
- Tynnwch lun o'r holl fathau gwahanol o gadeiriau sydd yn y cartref.
- Tynnwch lun y dillad rydych chi'n eu gwisgo fel pe bydden nhw ar lein ddillad.
- Tynnwch lun o hoff anifail anwes o'r gorffennol neu o'r presennol.
- Tynnwch lun o'ch hoff… offeryn (llyfr, dilledyn, gemwaith, car, beic).
- Ewch â'r person yn ôl i'w gartref, yn ei gof, ac ewch i'w ystafell wely, i'w gegin neu i'w weithle, yn y dychymyg. Nawr, dychmygwch ddrôr sy'n dal pob math o bethau, ac enwch y cynnwys fesul un. Mae ailgread o'r ymarfer gyda drôr ystafell wely i'w weld isod. Ni roddodd y fenyw wybodaeth yn wirfoddol, ond roedd ganddi ddiddordeb yn y gêm. Felly fe rois i awgrymiadau iddi, ac fe atebodd oeddwn neu nac oeddwn yn glir. 'Oeddech chi'n cadw persawr yn y drôr yma? Mae yna grib neu ddwy neu glipiau gwallt fel arfer, beth am bowdr wyneb? Tegan i blant? Oeddech chi'n cadw hen lythyrau caru ynddo? Na? Wel, gadewch i ni roi rhai ynddo beth bynnag' (chwerthin).

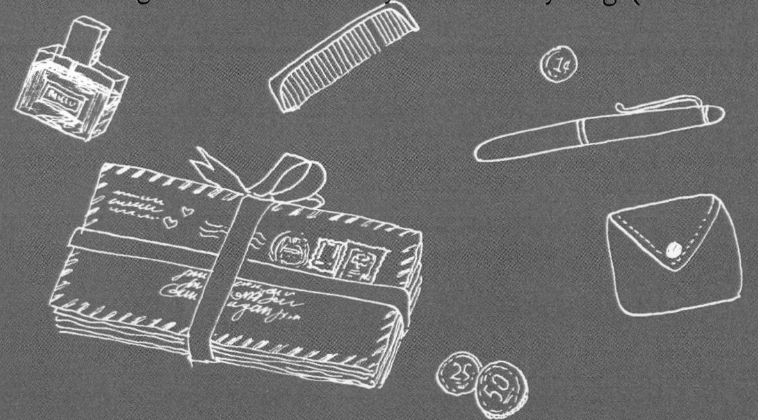

Collage

Gall unrhyw un sy'n edrych drwy bentwr o hen gylchgronau weld bod llawer ohonyn nhw'n bethau moethus. Wedi'u hargraffu ar bapur sgleiniog, trwm, maen nhw'n cynnwys ffotograffau, celf a dylunio, patrymau deniadol, a llythrennau ardderchog. Gellir defnyddio'r elfennau hyn yn unigol neu mewn cyfuniad i greu prosiect *collage* sy'n hynod o hardd. Gallwch wella'r *collage* eto drwy ychwanegu papurau a deunyddiau eraill, ac os ydych chi'n ychwanegu gwrthrychau 3-D, mae'n dod yn gydosodiad.

COLLAGE HOLLOL SYML

Edrychwch ar gylchgronau gyda'ch gilydd a thorrwch allan y llun cyntaf mae'r person yn ymateb iddo. 'Fframiwch' y llun ar ddarn o gerdyn trwchus (gwyn neu liw) a'i addurno fel y dymunwch:

a. Gludwch rubanau tenau o gwmpas yr ymyl fel ffrâm
b. Gwnewch forder gyda marciwr neu bensil lliw
c. Ychwanegwch bapur lapio neu addurn papur arall
ch. Torrwch forder allan o'r un llun, neu o lun arall o'r cylchgrawn fel y dangosir isod.

COLLAGE DONIOL
Torrwch allan bethau gwahanol a'u trefnu nhw mewn ffyrdd gwirion neu annisgwyl; er enghraifft, esgid fawr â phlentyn bach y tu mewn iddi, ci â dinas er ei gefn, hwyaden mewn dillad nos, ac ati.

COLLAGE AR THEMA
Chwiliwch am luniau sy'n seiliedig ar thema benodol, fel: *gwyliau, gerddi, ceir, adeiladau*, ac ati. Torrwch allan bopeth rydych chi'n gallu cael hyd iddo sydd â chysylltiad â'r thema, hyd yn oed os yw'n gysylltiad llac, a'i drefnu a'i gludo ar dudalen. Peidiwch ag anghofio llythrennau a geiriau; fe allech ddefnyddio'r rhain yn deitl neu yn rhan o'r dyluniad cyfan.

COLLAGE AR Y CYD
O gwmpas bwrdd gyda thua chwe pherson, gwnewch *collage* ar thema (gweler uchod). Gadewch i bawb gyfrannu at y torri a'r gludo yn ôl eu gallu. Os oes mwy na chwech yn y grŵp, gofalwch fod gennych ddau gynorthwyydd o leiaf.

TORRI A RHWYGO

Rhowch gynnig ar ddim ond rhwygo siapiau, neu cyfunwch ymylon wedi'u rhwygo ac wedi'u torri i greu effaith ddiddorol.

JAZZ GEIRIAU

Chwiliwch am eiriau i wneud cerddi neu frawddegau gwirion. Gallwch ddefnyddio llythrennau mawr i bwysleisio. Mae pob math o feintiau ac arddulliau gwahanol yn ei wneud yn fwy diddorol.

P *am y byddech chi'n ymddiried yn unrhyw*

un i ofalu am EICH HOFF

DDEWINES DDA ?

COLLAGES HANIAETHOL

Dydi'r rhain ddim yn portreadu pynciau diriaethol fel wyneb neu flodyn. Yn hytrach, maen nhw'n seiliedig ar egwyddorion celf weledol. Bydd y canlyniadau'n debycach i gelfyddyd, ac yn gysylltiedig â theimladau yn hytrach nag â phwnc penodol.

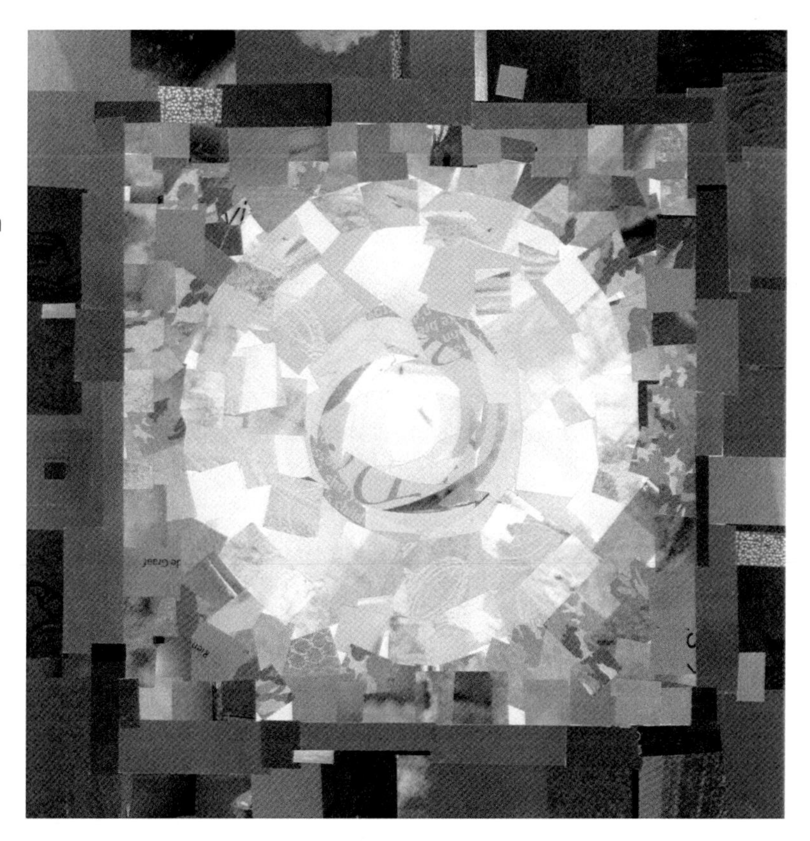

Er enghraifft, byddai rhwygo siapiau garw yn cyfleu teimlad gwahanol i *collage* sydd wedi'i dorri'n ofalus.

Gwnewch *collage* allan o siapiau mawr wedi'u rhwygo sydd wedi'u gosod ar hap ar y dudalen.

Gwnewch *collage* gan ddefnyddio siapiau bach wedi'u torri neu eu rhwygo'n ofalus a'u trefnu nhw yn batrwm.

Gwnewch *collage* glas drwy dorri allan siapiau ble bynnag rydych chi'n dod ar draws darn glas. Er enghraifft, awyr, dŵr, waliau yn y cysgod, llythrennau, dodrefn, dillad, ac ati. Mae hyn yn seiliedig ar egwyddorion gweledol harmoni ac undod.

Gwnewch *collage* glas (neu unrhyw liw arall) ac ychwanegwch un lliw cyferbyniol. Byddai hyn yn oren neu'n goch gyda glas, er enghraifft.

Mae graddoli yn fwy cymhleth ond yn creu canlyniadau dymunol: gwnewch *collage* tywyll lle mae'r lliw'n newid yn raddol o fod yn olau i fod yn dywyll. Edrychwch ar y llun ar y dudalen hon.

COLLAGE PAPUR SIDAN

Mae'r dechneg hon yn gyffrous gan ei bod yn dryloyw ac mae'r glud neu'r cyfrwng yn gwneud i'r lliwiau redeg, gan greu effeithiau rhyfeddol. Defnyddiwch gardbord gwyn yn gefndir.

a. Defnyddiwch lud gwyn gydag ychydig o ddŵr ynddo, os hoffech, neu gyfrwng acrylig (sgleiniog neu *matte*). Arllwyswch hwn i ddysgl fach fel y gallwch ei frwsio ar y cardbord.
b. Torrwch neu rhwygwch siapiau allan o amrywiaeth o liwiau o bapur sidan. Mae rhai golau yn dangos tryloywder yn dda.
c. Brwsiwch y glud ar y cefndir (mae rhoi cyfrwng gwlyb ar y papur sidan yn ei wneud yn anodd ei drafod) a rhowch y siapiau arno. Brwsiwch ragor o lud dros y siâp a gwnewch i'r siapiau orgyffwrdd â'i gilydd i greu effeithiau tryloyw.

Rydw i wedi ychwanegu blodau sych at yr enghraifft a ddangosir. Y prif liwiau yw porffor, pinc llachar ac oren, gydag ychydig o wyrdd. Mae rhychau a rhwygiadau yn ychwanegu diddordeb gweledol gyda'r dechneg hon.

DEUNYDDIAU A AWGRYMIR
Lluniau o gylchgronau
Hen ffotograffau'r teulu
Plu
'Tlysau' sy'n glynu
Papur lapio
Papur reis
Darnau o ffabrig
Papur sidan
Cortyn
Botymau

Found City
gan Keri Smith

CYDOSODIAD

Fe allwch chi wneud cydosodiad (*collage* tri dimensiwn) ar ddarn o gerdyn trwm neu gardbord, neu fe allech chi chwilio am focs bach bas, neu wneud un. Dewiswch thema; er enghraifft, *nyth, tŷ, bocs dirgel, anifeiliaid anwes, fy nghalon, fy ngorffennol, fy mhlant*. Mae'r bocsys hyn yn gyfryngau gwych i ddweud storïau. Maen nhw'n gallu bod yn gartref hefyd i gasgliad o gregyn, plu, codennau hadau, darnau arian a phethau bach eraill.

Rhowch bapur neu ffabrig ar waelod y bocs a gludwch bethau bach a deunyddiau eraill i wneud celfyddydwaith.

Mandalâu

Llun crwn yw mandala, gyda dyluniadau cymesur yn ei lenwi. Mae gan y cylch ystyr symbolaidd mewn llawer o ddiwylliannau. Mae'r Tibetiaid yn ei ddefnyddio yn sylfaen i beintiadau tywod cymhleth sydd ag arwyddocâd crefyddol. Mewn crefyddau eraill, mae'r cylch yn symbol o'r ddaear, yr haul neu'r cosmos.

DEUNYDDIAU

Print mandala

Pensiliau lliw, pensiliau dyfrlliw neu bennau ffelt

Mae lliwio mandalâu yn gallu bod yn weithgaredd tawel a gwerth chweil i bobl â dementia. Gweithiais yn gyson gyda menyw yng nghyfnodau canol yr afiechyd a oedd yn cael boddhad aruthrol o'r lluniau prydferth yr oedd hi wedi'u cwblhau. Byddwn yn gweithio'n agos gyda hi i ddewis y lliwiau a oedd fwyaf dymunol iddi, a gofynnai am fy nghyngor i ar gyfuniadau penodol. Ond, heblaw am gymorth achlysurol gydag agweddau ymarferol, byddai'n gweithio'n annibynnol.

Gallwch ddod o hyd i fandalâu i'w lliwio ar y rhyngrwyd ac mewn llyfrau. Rydw i wedi cynnwys rhai o hoff rai G yma. Fe allwch chi greu eich patrymau eich hun hefyd.

Gafael

Yn y bennod *'Gafael' a gwrthrychau materol* (t101), cyflwynwyd y cysyniad o ryddid i archwilio defnyddiau a'u trin fel diben ynddo'i hun.
I ennyn rhagor o ddiddordeb, rhowch amrywiaeth o ddefnyddiau i'w dal, lapio, gorchuddio, cuddio, codi, blasu ac archwilio. Gallwch ryngweithio â'r ystafell, hyd yn oed; er enghraifft, gwthio yn erbyn waliau, neu dynnu drysau sydd wedi'u cau. Gallwch ystyried y gweithredoedd hyn yn weithgareddau dilys, ac felly hefyd ymgolli yn y broses o drefnu a chwarae â phethau mewn ffordd sy'n ystyrlon i'r person.

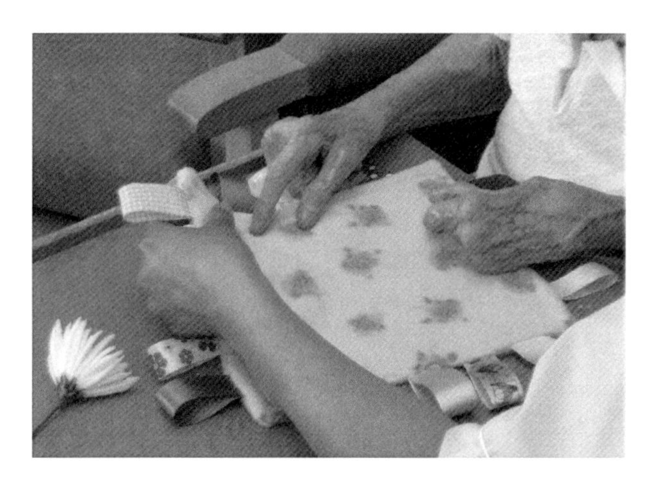

Dyma restr o ddeunyddiau i'w harchwilio a'u trefnu:

Mathau gwahanol o bapurau a ffoiliau
Dillad a darnau o ddefnyddiau
Cynwysyddion â chaeadau, a heb gaeadau,
  i roi pethau ynddyn nhw
Cortyn, rhaff a pheli edafedd
Tâp
Pensiliau
Prennau mesur
Pren balsa – deunydd meddal sy'n gallu
  cael ei dolcio, ei gafnu neu ei hollti'n hawdd
Cerrig
Sbyngau
Hoelbrennau
Blociau neu ffurfiau eraill o bren
Pecynnau swigod
Peli ymarfer corff mawr i'w rholio neu i
  orwedd arnyn nhw
Llestri arian
Llestri te doli
Dodrefn tŷ dol
Dillad doli
Cynnwys drôr hobïau
Casgliad o beli (tennis, ping-pong, rwber),
  meintiau a lliwiau gwahanol

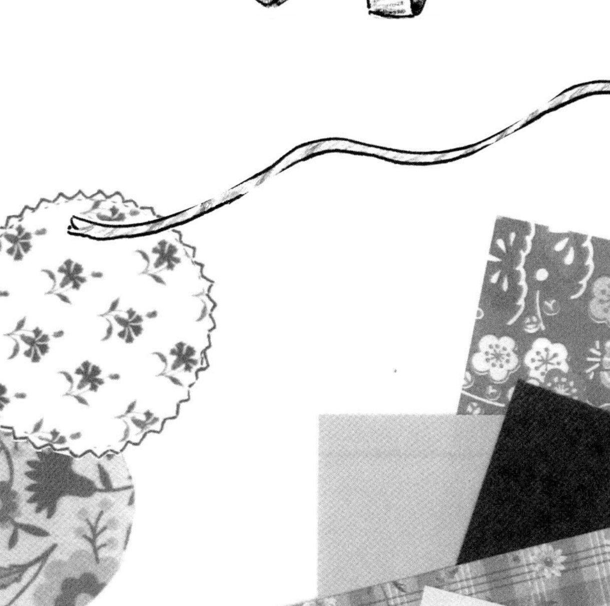

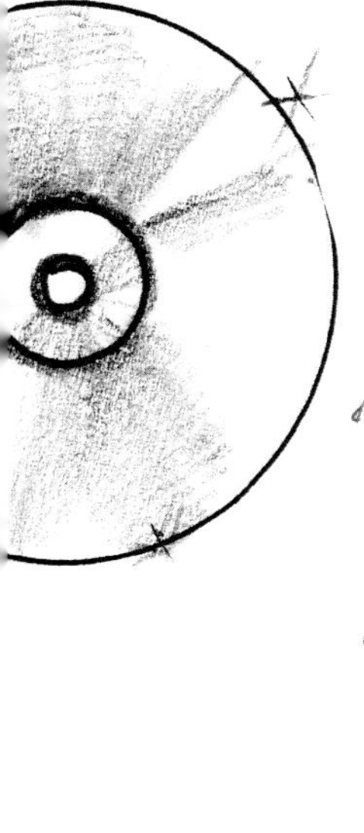

Gweithgareddau'n seiliedig ar ystumiau

Roedd menyw ar fy ward i a fyddai'n ei gwthio'i hun yn ôl yn ei chadair olwyn yn benderfynol, gan ddefnyddio'i thraed ar y llawr i gael gafael. Byddai hi'n symud nes iddi ddod ar draws rhwystr. Yna, yn sownd, byddai'n dechrau gweiddi nes bod rhywun yn ei gollwng hi'n rhydd, ac yna byddai'n dechrau'r holl broses eto.

Byddwn i'n rhoi hoe i'r gweithwyr nyrsio drwy fynd â'r fenyw yma am dro yn ei chadair olwyn ar hyd y coridorau hir. Ond fyddwn i ddim yn gwthio'r gadair. Byddwn i'n ei throi hi o gwmpas fel ei bod hi'n fy wynebu i, yn rhoi gwthiad ysgafn iddi, a byddai'n ei gwthio'i hun yn ôl yr holl ffordd i lawr y cyntedd. Roedd hi'n mwynhau hyn yn aruthrol, ac roedd yn ymarfer corff gwych iddi.

Roedd gennym ni gêm ar ôl dod yn ôl i'r ystafell deulu: byddwn i'n rhoi fy sgarff iddi a byddai hi'n ei gwthio'i hun oddi wrthyf, yna byddwn i'n ei thynnu hi'n ôl gyda'r sgarff. Byddem ni'n gwneud hyn am gyfnodau hir, ac roedd yn hypnotig, mynd yn ôl ac ymlaen, yn ôl ac ymlaen a byddai hi'n tawelu wrth wneud hyn.

Ar y tudalennau canlynol, mae ffyrdd syml eraill o ddefnyddio ystumiau rhywun fel man cychwyn ar gyfer ennyn diddordeb. Gallwch eu defnyddio nhw i roi cwmnïaeth ac i osod tasgau bach sy'n hawdd eu cyflawni. (Gweler *Dechreuwch yn yr un lle â nhw* t104.)

TAPIO, PATIO

- Gwnewch sŵn rhythmig gyda'ch gilydd ar y bwrdd gan ddefnyddio ffon neu lwy. Tybed a allwch chi ddilyn rhythmau eich gilydd a'u hamrywio nhw? Ewch yn araf, yn gyflym, yn drawsacennol, dair gwaith yn gyflym, dair gwaith yn araf, ac ati.
- Patiwch ddarn o does bara neu glai nes ei fod yn fflat.

ANWESU

- Tylinwch ddwylo rhywun gyda hufen dwylo neu olew persawrus. Rhowch gyfle iddo wneud hyn yn ôl os yw'n dangos bod arno awydd gwneud hynny.
- Anweswch anifail wedi'i stwffio.
- Anweswch gi, cath, cwningen neu anifail arall.
- Llyfnhewch liain ar arwyneb gwastad neu ar lin rhywun.
- Smwddiwch liain golchi llestri neu hances (ar osodiad isel).
- Symudwch beli bach pren yn ôl ac ymlaen ar hoelbren neu raff.
- Sychwch lestri.

GWASGU/PWYSO

- Pwyswch ar bapur â glud arno fel ei fod yn aros yn ei le (wrth wneud *collage*).
- Stampiwch â phrint bloc neu stamp rwber.
- Gwasgwch glai i mewn i fowld.
- Gwasgwch ffoil alwminiwm i mewn i bowlen neu fowld.
- Rhowch olion llaw ar bapur neu mewn tywod neu fwd.
- Pwyswch gledr eich llaw ar law'r claf yn ysgafn, gan ildio a gwthio yn eu tro, gan adael iddo arwain.
- Popiwch y swigod mewn pecyn swigod plastig.

TYNNU

- Tynnwch y papur lapio oddi ar becyn.
- Tynnwch ddillad oddi ar ddoli.
- Tynnwch ar gortyn trwchus gyda chlymau ynddo.
- Tynnwch rywun mewn cadair olwyn (gweler y stori gyferbyn).
- Daliwch ddwylo yn ysgafn, gwthiwch a thynnwch.

CLEDR LLAW AGORED

- Rhowch rywbeth i'w fwyta yng nghanol cledr y llaw.
- Anweswch neu dylinwch gledr y llaw.
- Daliwch ddwylo.
- Tynnwch lun wyneb yng nghanol cledr llaw gyda marciwr diwenwyn.
- Cuddiwch eich llaw o dan liain, yna esgus eich bod yn dod o hyd iddi.

GAFAEL

- Taflwch bêl feddal neu belen edafedd fel gêm dal pêl.
- Gwasgwch glai.
- Crychwch bapur (gweler Blodyn crych t124).
- Chwaraewch gemau dwylo – mae'n rhaid iddo ddal eich llaw cyn i chi ei throi drosodd, neu mae'n rhaid iddo afael yn rhywbeth mae'ch llaw chi yn ei orchuddio.

PLYGU

- Llieiniau sychu llestri, dillad, dillad gwely.
- Papur, papur newydd.
- Clai neu does.

PLICIO

- Pliciwch bapur sy'n pilio.
- Pliciwch y darnau bach o edau sy'n weddill ar ôl tynnu'r pwythau allan o hem.
- Gwnewch gerdyn edafedd â chlymau hawdd eu datod arno, neu bethau i'w tynnu drwy ddolenni.
- Pliciwch oren bach a thynnwch y pilenni gwyn oddi arno.

RHWBIO

- Rhowch sglein ar esgidiau neu fetel.
- Glanhewch staeniau oddi ar arwyneb.
- Rhwbiwch bêl feddal rhwng y dwylo.
- Golchwch ddillad.
- Rhowch sglein ar wydr neu ffenestri.

RHOLIO

- Rholiwch glai neu does yn siâp neidr hir.
- Rholiwch diwb rwber neu hoelbrennau ar fwrdd.
- Rholiwch beli ar fwrdd.
- Troellwch wlân.
- Rholiwch diwb cardbord llawn gleiniau (wedi'i gau yn ddiogel ar y ddau ben!) ar arwyneb gwastad.

TROELLI

- Addurnwch hoelbren â chortyn neu edau neu ruban.
- Hedfan barcud, ril droelli.
- Pysgota, ril droelli, neu bysgota dan do: bachyn plastig mawr, gwobrau da i'w bachu.
- Addurnwch diwb postio cardbord â phapur neu edau.

LAPIO/CUDDIO

- Gwisgwch ddillad am ddoli neu anifail wedi'i stwffio.
- Lapiwch wrthrych (bocs, potel, ac ati) mewn lliain a chortyn.
- Lapiwch anrheg.
- Lapiwch rwymyn.

RHWYGO

- Stribedi papur (gallwch eu defnyddio'n ddiweddarach fel *papier mâché*).
- Stribedi defnydd (gallwch eu defnyddio ar gyfer *mâché* ffabrig neu grefftau eraill).
- Rhwygwch ddogfennau diangen.
- Rhwygwch bapurau yn sgwariau ar gyfer *collage*.

CHWIFIO/SIGLO

- Chwifiwch y *ffon hud cerddoriaeth a symud* (gweler y cyfarwyddiadau ar gyfer ei gwneud, t116).
- Siglwch i gerddoriaeth.
- Chwifiwch sgarff sidan i gerddoriaeth.

5

I GLOI

CELFYDDYD MEWN GOFAL DEMENTIA

CANLLAWIAU CRYNO

RHESTR WEITHGAREDDAU

Celfyddyd mewn gofal dementia

Mae cyfathrebu yn gysyniad allweddol mewn gwella bywyd pobl â dementia, ac mae sawl un â'r cyflwr yn cael anawsterau difrifol gydag iaith. Drwy ddarparu nifer o ffyrdd eraill i'w mynegi eu hunain (y rhan fwyaf yn ddieiriau), gallai'r celfyddydau gynnig y cyfrwng y mae ei daer angen arnyn nhw.
Killick J, Allan K (2000)

Fel artist gweledol, rydw i wedi cyfeirio'n bennaf yn y llyfr hwn at wneud lluniau a gweithio gyda deunyddiau. Does dim llawer o enghreifftiau o gelf gan bobl â dementia gan fy mod yn canolbwyntio'n bennaf ar greadigrwydd fel modd i ennyn diddordeb yn hytrach na chynhyrchion gorffenedig.

Mae *Glaw Siocled* yn pwysleisio hefyd fod y sgiliau y mae pobl â dementia yn eu dysgu drwy'r disgyblaethau creadigol yn cynnig 'llwybrau', nid dim ond iddyn nhw, ond i'r bobl sy'n gofalu amdanyn nhw hefyd. Dydi cyfathrebu dieiriau, hiwmor, y gallu i gymryd risgiau emosiynol, i wneud gwaith byrfyfyr yn y foment, ac ati, ddim yn 'ychwanegiadau' ym maes gofal dementia; maen nhw'n hanfodol, yn fy marn i.

Mae disgyblaethau creadigol eraill fel cerddoriaeth, dawns, drama, adrodd straeon a barddoniaeth yn cael eu defnyddio'n llwyddiannus mewn gofal dementia*. Mae llwyddiant y mathau hyn o weithgareddau yn sicr yn dibynnu ar yr un sy'n arwain y gweithgaredd. Ei brofiad a'i agwedd o barchu a galluogi sy'n gallu troi'r gweithgaredd yn brofiad pwerus, a pharatoi'r ffordd ar gyfer 'adegau arbennig'. Efallai y bydd datblygiadau, fel dau berson yn rhannu perthynas agos neu adegau o eglurder. Er nad oes modd mesur yr effeithiau, gallwch eu gwylio a'u profi, ac mae'r gwerthusiadau diweddaraf yn nodi bod effeithiau positif yn parhau.

Mae pobl yn gofyn i mi yn aml ai therapi celf yw fy ngwaith i. Er bod y gweithgareddau hyn yn debyg i therapi celf i ddechrau, mae'n bwysig gwahaniaethu rhwng gweithgaredd celf a therapi celf:
Mae ***therapi* celf** yn defnyddio diagnosis ac ymyriad bwriadol i wella neu i leddfu symptomau.
Mae ***gweithgaredd* celf** yn defnyddio sgiliau creadigol i gynhyrchu synnwyr o fwynhad, boddhad a chwmnïaeth, drwy ennyn diddordeb heb geisio newid y person na'r cyflwr.

Er nad yw therapi yn un o amcanion gweithgareddau celfyddydol, maen nhw'n gweithio mewn ffordd therapiwtig ysgafn. Maen nhw'n gallu darparu rhyddhad emosiynol, adeiladu sgiliau a hunan-barch, ac agor drysau i fynegi. Maen nhw'n gallu arwain at adegau o gyswllt dwys rhwng dau, ac o eglurder.

*Mae'r cylchgrawn *The Journal of Dementia Care* yn y Deyrnas Unedig yn adnodd ardderchog ar gyfer rhaglenni a phrosiectau fel hyn.

...rydym ni'n hollol grediniol fod y celfyddydau mewn gofal dementia yma i aros, nid dim ond fel gweithgareddau ar yr ymylon ond fel rhan hanfodol o unrhyw becyn o fesurau sydd wedi'u rhoi at ei gilydd i gynnig cyfleoedd cadarnhaol i'r unigolyn.
Killick J, Allan K (2000)

Rydw i'n gyffro i gyd fod y celfyddydau yn dechrau dod i mewn yn raddol i'r system gofal iechyd, a bod hyfforddiant meddygol yn cynnwys rhagor o ddisgyblaethau creadigol. Mae rhai ysgolion meddygol yn yr Unol Daleithiau yn cynnig dosbarthiadau celf yn eu cwricwlwm, ac rydw i wedi clywed am raglen lle mae myfyrwyr meddygol yn treulio amser mewn oriel yn edrych ar beintiadau er mwyn dysgu arsylwi'n oddrychol. Mae hyn yn helpu i wneud diagnosis o salwch. 'Ar ôl awr yn yr amgueddfa, cerddodd y dosbarth yn ôl i Ysgol Feddygol Harvard i gymhwyso'r hyn roedden nhw wedi'i ddysgu am archwilio celf i roi diagnosis ar broblemau anadlu, brechau croen ac anhwylderau niwrolegol, ac i ddehongli pelydrau X ysgyfaint.' Kowalczyk L (2008).

Yn ogystal, mae sefydliadau iechyd yn gwahodd artistiaid cymwysedig i ddysgu prosesau creadigol i'w staff; mae hyn yn adnodd ardderchog i ysbrydoli gweithwyr proffesiynol i ddarganfod a defnyddio'u galluoedd creadigol. Mae'r cartref neu'r ysbyty yn cael budd o ysbryd creadigol sy'n gallu arwain at newid cadarnhaol yn niwylliant y sefydliad. Ac mae artistiaid sydd wedi hen arfer â gweithio ar eu pen eu hunain yn eu stiwdios yn elwa drwy gael eu hadnabod a thrwy fod yn weithgar mewn cyd-destun cymdeithasol, yn ogystal â chynhyrchu llif incwm newydd.

Rydw i'n gweithio gyda mudiad nid-er-elw yma yn yr Iseldiroedd, Beter Gezelschap, (Cymdeithas Wella, o'i gyfieithu'n fras), sy'n trefnu digwyddiadau creadigol mawr mewn ysbytai a chartrefi nyrsio.

Ar yr olwg gyntaf, mae'r dawnswyr, y cantorion, y storïwyr, yr artistiaid a'r actorion fel petaen nhw'n ddiddanwyr; ond, drwy'r cysylltiadau un i un dwys sy'n digwydd yn ystod y diwrnodau hyn, mae'n dod yn amlwg yn gyflym fod rhywbeth llawer mwy dwfn ar waith. Mae'n amlwg fod y disgyblaethau creadigol yn dod â lliw, cynhesrwydd, natur ddigymell ac ychydig o anhrefn iach i mewn i'r amgylcheddau meddygol hynod o dechnegol hyn, ond maen nhw yn ein hatgoffa ni hefyd o'n dynoliaeth ar y cyd. Mae rolau a phrotocolau yn diflannu, gan adael bodau dynol gyda'i gilydd mewn moment o ryfeddod a chysylltiad.

Rydw i'n gobeithio y bydd darllen a gweithio gyda'r llyfr hwn yn eich helpu i ddeall nad yw'r celfyddydau yn bell o fywyd pob dydd, ond yn rhan naturiol a hanfodol ohono. Hefyd, y byddwn yn gallu tynnu ar ddoethineb ein calon lawn cymaint â'n deallusrwydd i gyfathrebu a chreu gyda'r bobl yn ein gofal ni.

Lluniau yn yr adran hon:
t173 chwith, Diane Amans/Joel Fildes
t173 de, ffotograffydd staff
Canolfan Ofal Vrienhof, yr Iseldiroedd
Brig y dudalen hon,
Diane Amans/Joel Fildes
t170–175 yr holl luniau eraill,
Ladder to the Moon.

CANLLAWIAU CRYNO

Mae'r canlynol yn ffynhonnell o weithgareddau sydd wedi'u croesgyfeirio a'u rhoi gyda'i gilydd yn ôl anghenion a dibenion penodol.

GWEITHGAREDDAU GRŴP

GWEITHGAREDDAU CORFFOROL

TAWEL

Dewiswch weithgareddau o'r penodau canlynol:

CELFYDDYD WELEDOL

Dewiswch weithgareddau o'r penodau canlynol:

YSGRIFENNU

Dewiswch weithgareddau o'r penodau canlynol:

88 Eu stori nhw, eu hanes nhw
96 Ysgrifennu creadigol ar y cyd
129 Ysgrifennu barddoniaeth

Gellir eu gwneud un i un neu gydag ychydig o bobl

GWEITHGAREDDAU UNIGOL

I'R RHAI SY'N GALLU DARLLEN A SIARAD YN DDEALLADWY

Dewiswch weithgareddau o'r penodau canlynol:

84 Gemau a chwarae
88 Eu stori nhw, eu hanes nhw
96 Ysgrifennu creadigol ar y cyd
129 Ysgrifennu barddoniaeth

I'R RHAI SY'N GALLU SIARAD, OND YN METHU DARLLEN

Dewiswch weithgareddau o'r penodau canlynol a darllenwch y bennod Graddio gweithgareddau:

80 Gwneud rhywbeth ar gyfer/gyda
113 Am ddim/rhad
126 Gweithgareddau'n seiliedig ar broffesiynau blaenorol
149 Darlunio fel cyfathrebu gweledol
156–61 *Collage* a chydosodiad
162 Mandalâu

Addaswch y gweithgareddau canlynol i lefel addas ar gyfer galluoedd yr unigolyn:

85 Gêm Cofio
86 Gêm Quartet
87 Gêm Dywediadau
147 Yr wyddor wedi'i thorri allan

ANHAWSTER DARLLEN, SIARAD A DEALL LLEFERYDD

Dewiswch weithgareddau o'r penodau canlynol a darllenwch y bennod Graddio gweithgareddau:

80 Gwneud rhywbeth ar gyfer/gyda
113 Am ddim/rhad
126 Gweithgareddau'n seiliedig ar broffesiynau blaenorol
162 Mandalâu

GWEITHGAREDDAU UNIGOL parhad

ANAWSTERAU DARLLEN, SIARAD A DEALL LLEFERYDD *parhad*

73 Adegau arbennig pob dydd
149 Darlunio fel cyfathrebu gweledol
156 *Collage* a chydosodiad

Gweler y map meddwl/siart yn ogystal (t63)

YN GAETH I'R GWELY

Dewiswch weithgareddau o'r penodau canlynol a darllenwch y bennod Graddio gweithgareddau

27 Dod â chi'ch hun ar y daith
32 Bod yno
73 Adegau arbennig pob dydd
80 Gwneud rhywbeth ar gyfer/gyda
84 Gemau a chwarae
113 Am ddim/rhad
149 Darlunio fel cyfathrebu gweledol
156–61 *Collage* a chydosodiad
162 Mandalâu

YN GAETH I'R GWELY, HEB DDANGOS YMATEB GWELADWY I YSGOGIAD

Dewiswch weithgareddau o'r penodau canlynol a darllenwch y bennod Graddio gweithgareddau

27 Dod â chi'ch hun ar y daith
32 Bod yno
80 Gwneud rhywbeth ar gyfer/gyda
113 Am ddim/rhad

Rhowch gynnig ar y gweithgareddau canlynol (mae'r gweithgareddau mewn print llwyd heb eu cynnwys yn y llyfr):

Teimlo gweadau, tylino dwylo, dod â phlanhigion persawrus i mewn, symud y gwely i amgylchedd newydd, dod â chregyn, creigiau a phethau naturiol eraill i'w dal.

101 'Gafael' a gwrthrychau materol
117 Gwneud pompom gwlanog
166 Gweithgareddau'n seiliedig ar ystumiau

YMDDYGIAD AILADRODDUS

Dewiswch weithgareddau o'r penodau canlynol:

27 Dod â chi'ch hun ar y daith
32 Bod yno
101 'Gafael' a gwrthrychau materol
166 Gweithgareddau'n seiliedig ar ystumiau

ADDAS I DDYNION

(Mae'r mwyafrif o weithgareddau'r llyfr hwn yn hawdd i'w gwneud gyda menywod, ond roedd dod o hyd i weithgareddau sy'n denu dynion yn her arbennig.)

Dewiswch weithgareddau o'r penodau canlynol:

80 Gwneud rhywbeth ar gyfer/gyda
84 Gemau a chwarae
88 Eu stori nhw, eu hanes nhw
96 Ysgrifennu creadigol ar y cyd
113 Am ddim/rhad
126 Gweithgareddau'n seiliedig ar broffesiynau blaenorol
129 Ysgrifennu barddoniaeth
142 Llythrennau ac ysgrifennu
149 Darlunio fel cyfathrebu gweledol
156–61 *Collage* a chydosodiad
162 Mandalâu

GWEITHGAREDDAU SYML HEB LAWER O OFFER NA DEUNYDDIAU

Rhowch gynnig ar un o'r gweithgareddau hyn:

Cerdded
Gwrando ar gerddoriaeth
Tylino dwylo

Dewiswch weithgareddau o'r penodau canlynol:

73 Adegau arbennig pob dydd
76 Coginio, bwyd a bwyta
88 Eu stori nhw, eu hanes nhw
96 Ysgrifennu creadigol ar y cyd
101 'Gafael' a gwrthrychau materol
129 Ysgrifennu barddoniaeth
149 Darlunio fel cyfathrebu gweledol
166 Gweithgareddau'n seiliedig ar ystumiau

YSGOGI EICH CREADIGRWYDD CHI EICH HUN

Cofiwch gynnal eich diddordeb creadigol chi. Dyma rai penodau a fydd yn rhoi awgrymiadau ac ysbrydoliaeth i chi:

16 Camu tuag at eu byd
51 Meddwl yn greadigol
137 Llyfrau ar eich cyfer chi

Rhestr Weithgareddau

LLYFRYDDIAETH

LLYFRAU

Dowling JR (1995) Keeping Busy, a handbook of activities for persons with dementia. The John Hopkins University Press.

Killick J, Allan K (2001) Communication and the care of people with dementia. Open University Press, Buckingham/Philadelphia.

Killick J (1997) You are words. Hawker Publications, Llundain.

Koch K (1997) I never told anybody, teaching poetry writing to old people. Teachers & Writers Collaborative, Efrog Newydd.

McNiff S (1998) Trust the process. Shambhala, Boston, Llundain.

Smith K (2008) How to be an explorer of the world, Portable Art Life Museum. The Penguin Group, UDA.

Suzuki S (1973) Zen mind, beginner's mind. Weatherhill, Efrog Newydd, Tokyo.

Tolle E (1999) The Power of Now. New World Library, UDA.

Zgola J (1999) Care that works, A relationship approach to persons with dementia. John Hopkins University Press, Baltimore, MA.

ERTHYGLAU

Byers A (1995) Beyond marks, on working with elderly people with severe memory loss. Inscape Cyfrol 1.

Biernacki C (2009) I believe, therefore I care. The Journal of Dementia Care 17 (1) 14–15.

Ferrucci P (2005) Survival of the kindest. Ode magazine 75.

Killick J, Allan K (2005) Good Sunset project: quality of life in advanced dementia. Journal of Dementia Care 13 (6) 22–24.

Killick J, Allan K (2000) Undiminished possibility: the arts in dementia care. Journal of Dementia Care 13 (8) 16–18.

Kitwood T (1993) Discover the person, not the disease. Journal of Dementia Care 1 (1) 16–17.

Kowalczyk L (2008) Monet? Gauguin? Using art to make better doctors. The Boston Globe.

RHAGOR O ADNODDAU A DOLENNI

NAPA National Activity Providers Association, Llundain: www.napa-activities.co.uk

The Alzheimer's Society book of activities gan Sally Knocker. Alzheimer's Society, y DU, 2003.

Gwefan Kate Allan a John Killick: www.dementiapositive.co.uk

LLYFRAU AM DDATBLYGU CREADIGRWYDD

Cameron J (1994) The Artist's way, A course in discovering and recovering your creative self. Souvenir Press Ltd, y Deyrnas Unedig.

McNiff (1998) Trust the process. Shambhala, Boston, Llundain.

Smith K (2008) How to be an explorer of the world, Portable Art Life Museum. The Penguin Group, UDA.

Smith K (2007) Wreck this journal, Penguin Putnam Inc., UDA.

GWEFANNAU

Mae nifer o wefannau sy'n annog creadigrwydd ac yn cofnodi gwaith y rheini nad ydyn nhw ond megis dechrau, yn ogystal ag ymarferwyr sydd wedi hen ennill eu plwyf.

Mae'r ddwy wefan ganlynol yn canolbwyntio ar ddarlunio:

www.dannygregory.com
www.michaelnobbs.com

Gallech chwilio hefyd o dan y term *sketchcrawl.*

Dwy wefan i ysbrydoli creadigrwydd:

www.kerismith.com
www.learningtoloveyoumore.com

I unrhyw un sydd wedi'i ysbrydoli i roi cynnig ar hobi newydd, chwiliwch am y canlynol: *visual journaling, altered books, crafting,* a *collage.*

Adnodd da ar gyfer prosiectau sy'n gysylltiedig ag iechyd/celf ac ar gyfer ymarferwyr yw:

www.artheals.org

Sylwch: Mae'r rhyngrwyd yn gyfrwng sy'n newid yn gyson, felly ni allwn sicrhau bod y gwefannau ar gael ac nid ydym yn gyfrifol am eu cynnwys.

DIOLCHIADAU

Rydym yn ddiolchgar iawn i'r sefydliadau a'r unigolion canlynol am y ffotograffau yn y llyfr hwn:

Diane Amans, dawnswraig, ymarferydd dawns cymunedol ac ymgynghorydd hyfforddiant; Joel Fildes, ffotograffydd, am y lluniau ar dudalennau 173 a 175.

Harry Giglio, ffotograffydd, am y llun o'i fam ar dudalen 13.

Cathy Greenblat, cymdeithasegydd a ffotograffydd, am y llun ar dudalen 128.

Sip Hiemestra am y llun ar dudalen 47.

Ladder to the Moon, sefydliad hyfforddiant a theatr o'r DU sy'n datblygu staff, yn meithrin cymuned ac yn ysgogi diwylliant i wella ansawdd bywyd pobl hŷn mewn gofal, yn arbennig y rheini sy'n byw â dementia.
Diolch hefyd i holl breswylwyr a staff Compton Lodge a Rathmore House (Ymddiriedolaeth Tai Central and Cecil) a chleientiaid a staff gwasanaethau dydd Wimbledon Guild, Llundain, sydd yn lluniau prosiectau Ladder to the Moon ar dudalennau 22, 23, 170, 172–175.

Cartref Gofal a Nyrsio Rosemary Lodge (Wimbledon Guild), Llundain.
Diolch i'r holl breswylwyr, perthnasau a staff am y lluniau ar dudalennau 25, 61 a 112.

David Mitchell am y llun o John Killick a'i ffrind ar dudalen 96.

Sandra van den Berg am y lluniau ar dudalennau 14, 80, 81 a 146.

Betty van Gelder am y llun o'i mam ar dudalen 41.

Ffotograffydd staff Canolfan Ofal St Jansgeleen, yr Iseldiroedd, tudalen 74.

Rende Zoutewelle am y lluniau ar dudalennau 9, 108 a 167.

Gwaith celf arall:

Candy Canzoneri am y darluniau ar dudalen 154.

Diolch i Tineke Poppinga a'r teulu am ganiatâd i ddefnyddio darluniau Jan Poppinga ar dudalennau 76 a 148.

Keri Smith am ganiatâd i ddefnyddio'r llun o'i *collage*, 'Found City' ar dudalen 161.

CYDNABYDDIAETH

Diolch i Richard Hawkins yn Hawker Publications a oedd yn fodlon mentro, a chydnabod enaid y llyfr hwn hyd yn oed cyn i mi wneud; ac i Sue Benson am ei ffydd yn y llyfr ac am gynorthwyo i'w gyhoeddi. Ac am ei gwaith golygu, cymorth amhrisiadwy gyda'r lluniau a chefnogaeth i'r llyfr drwy'r adeg.

Candy Canzoneri, athro ysgrifennu creadigol, oedd fy narllenydd a fy nghefnogwr drwy gydol y broses. Roedd ei ffydd yn y llyfr ac ynof i fel yr un gorau i'w gwblhau, yn ogystal â'i hiwmor a'i dealltwriaeth, yn fy nghynnal. Diolch am yr *ymwadiad creadigrwydd*, hefyd!

Heb yr ysgogiad dyddiol ar-lein gan grŵp o ffrindiau agos, efallai na fyddai'r llyfr hwn wedi gweld golau dydd. Diolch i Amanda, Carly, Karin, Kathy, Kay Lynne a Sandy am gredu ynof i, ac am eu cariad a'u hanogaeth. Ac am y tusw.

I Betty van Gelder am ei chyfeillgarwch, ei chyngor arbenigol ar y deipograffeg, a'i chymorth wrth baratoi'r llyfr i'w argraffu.

Diolch i Anti Evelyn am gredu'n ffyddlon yn fy ngwaith. Roedd ei diddordeb brwdfrydig, ei chreadigrwydd a'i phresenoldeb yn lleddfu'r hiraeth ar ôl fy mam (ei chwaer), fy mhrif gefnogwr.

Mae awduron yn diolch fel arfer i ba sefydliad bynnag a roddodd gymhorthdal i roi amser iddyn nhw weithio ar y llyfr. Gan 'Sefydliad HWH' (*Hard-Working Husbands*) y daeth fy un i. Heb Rende, ni fyddwn wedi cael yr amser, ar ôl ysgrifennu'r llyfr, i dreulio blwyddyn gyfan yn ei ddarlunio a'i ddylunio. Diolch hefyd am y chwerthin, y gefnogaeth a'r help technegol ar bob lefel yn paratoi'r holl ffotograffau, y lluniau hyfryd, a'i gadernid drwy holl lanw a thrai'r broses greadigol.

John Killick, Teun Hamer, Henk Havinga, Nannie Bos, Monica Blom a ffrindiau proffesiynol eraill yn y maes a oedd yn gwerthfawrogi fy ngwaith o'r dechrau.

Ed Fisger, Jr, fy mentor a fy athro teipograffeg ym Mhrifysgol Carnegie-Mellon.

Graddedigion AW, yn arbennig Karen R, Michael N a Sandi am eich cymorth ymarferol a'ch cyfeillgarwch. Ac i Miriam am y llyfr band rwber.

Y Brawd Hugo a Christianne P am gefnogaeth leol.

Fy holl ffrindiau, fy nheulu i a theulu Rende.

Er cof am
Gré

Yn y cartref nyrsio lle'r oeddwn i'n gweithio, roedd menyw hyfryd a oedd yn fy ysbrydoli'n barhaus â'i chreadigrwydd, ei chynhesrwydd, ei hiwmor a'i dewrder.
Ymdrechodd i wneud pob un o fy syniadau. Daw teitl y llyfr hwn o'i cherdd, Glaw Siocled. *Ei dol hi yw Samy; mae ei geiriau a'i hysbryd yn treiddio drwy bob tudalen o'r llyfr hwn.*

† 2010

GAIR AM YR AWDUR

Artist o America yw Sarah Zoutewelle-Morris, sy'n byw yn yr Iseldiroedd gyda'i gŵr, sy'n saer coed, a'u ci, Lucie.

Mae hi'n defnyddio ei chreadigrwydd ar draws amrywiaeth eang o ddisgyblaethau, yn cynnwys dylunio graffeg, dylunio a darlunio llyfrau, caligraffeg, celfyddyd gain, addurno offerynnau cerdd hynafol, a gweithio fel artist mewn gofal iechyd.

Yn ei sesiynau hyfforddi a'i gweithdai creadigrwydd, mae hi'n annog pobl sydd ag ychydig o brofiad mewn celf, neu ddim o gwbl, i feddwl yn fwy creadigol a'u mynegi eu hunain mewn cyfryngau amrywiol.

Mae hi wedi ysgrifennu erthyglau ar y broses greadigol ar gyfer y *Journal of Dementia Care* a chyhoeddiadau eraill.

Glaw Siocled yw ei llyfr cyntaf hi.

Ei gwefan yw: www.artcalling.worldpress.com

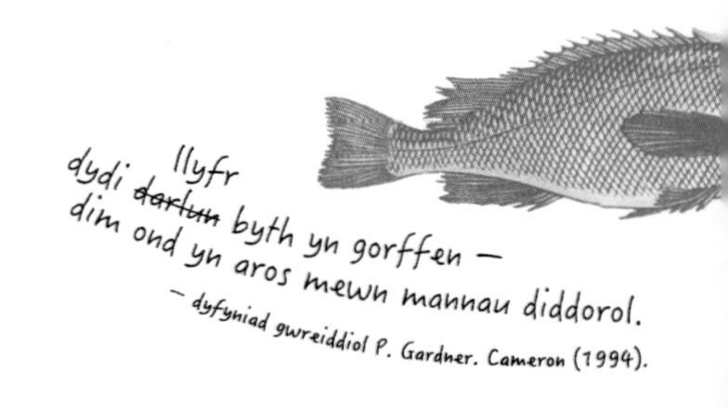